1682

SAMMLUNG METZLER

REALIENBÜCHER FÜR GERMANISTEN

ABT. D:

LITERATURGESCHICHTE

ROSWITHA WISNIEWSKI

KUDRUN

—

2., überarbeitete und erweiterte Auflage

MCMLXIX

J.B.METZLERSCHE VERLAGSBUCHHANDLUNG

STUTTGART

1. Aufl.: April 1963
2. Aufl.: Febr. 1969

M 32

 Druck H. Laupp jr Tübingen
Printed in Germany

Inhalt

Abkürzungen

AfdA	Anzeiger für deutsches Altertum
ags.	angelsächsisch
an.	altnordisch
dt.	deutsch
DVjs.	Deutsche Vierteljahrsschrift für Literaturwissenschaft und Geistesgeschichte
GRM	Germanisch-Romanische Monatsschrift
Hs.	Handschrift
MA	Mittelalter
mhd.	mittelhochdeutsch
MLR	Modern Language Review
PBB	Beiträge zur Geschichte der deutschen Sprache und Literatur, hrsg. v. Paul u. Braune
Verf.Lex.	Verfasserlexikon
ZfdA	Zeitschrift für deutsches Altertum
ZfdPh.	Zeitschrift für deutsche Philologie

Gesamtdarstellungen mit bibliographischen Hinweisen

A. Fecamp, Le poème de Gudrun, ses origines, sa formation, et son histoire. Appendice: Bibliographie chronologique. Paris 1892. (Bibl. de l'école des hautes études. 90.)

G. Ehrismann, Geschichte der deutschen Literatur bis zum Ausgang des Mittelalters. Bd 2, 3 (Schlußband). 1935; Nachdruck 1959, S. 145 ff.

F. Neumann, Artikel ‚Kudrun' in: Die deutsche Literatur des Mittelalters. Verfasserlexikon. Bd II (1936), Sp. 961–983, u. Bd V (1955), Sp. 572–580.

H. de Boor, Die höfische Literatur. [4]1960, S. 200–205, Bibliographie S. 214. – H. de Boor, Die deutsche Literatur im späten Mittelalter, 1962, S. 145 f., Bibliographie S. 181. (= de Boor/Newald, Geschichte der deutschen Literatur von den Anfängen bis zur Gegenwart. Bd 2 u. 3,1.)

W. Hoffmann, Die Hauptprobleme der neueren Kudrun-Forschung, in: Wirkendes Wort 14 (1964), S. 183–196 u. S. 233–243. (Forschungsbericht.)

Vgl. ferner die ausführlichen Einleitungen in den S. 7 aufgeführten Ausgaben von E. Martin, P. Piper und namentlich die den neuesten Forschungsstand behandelnden Einführungen von B. Boesch (Neubearbeitung der Ausgabe von B. Symons) und K. Stackmann (Neubearbeitung der Ausgabe von K. Bartsch).

Die hier genannten Werke werden in den Literaturangaben zu den einzelnen Kapiteln nicht noch einmal verzeichnet.

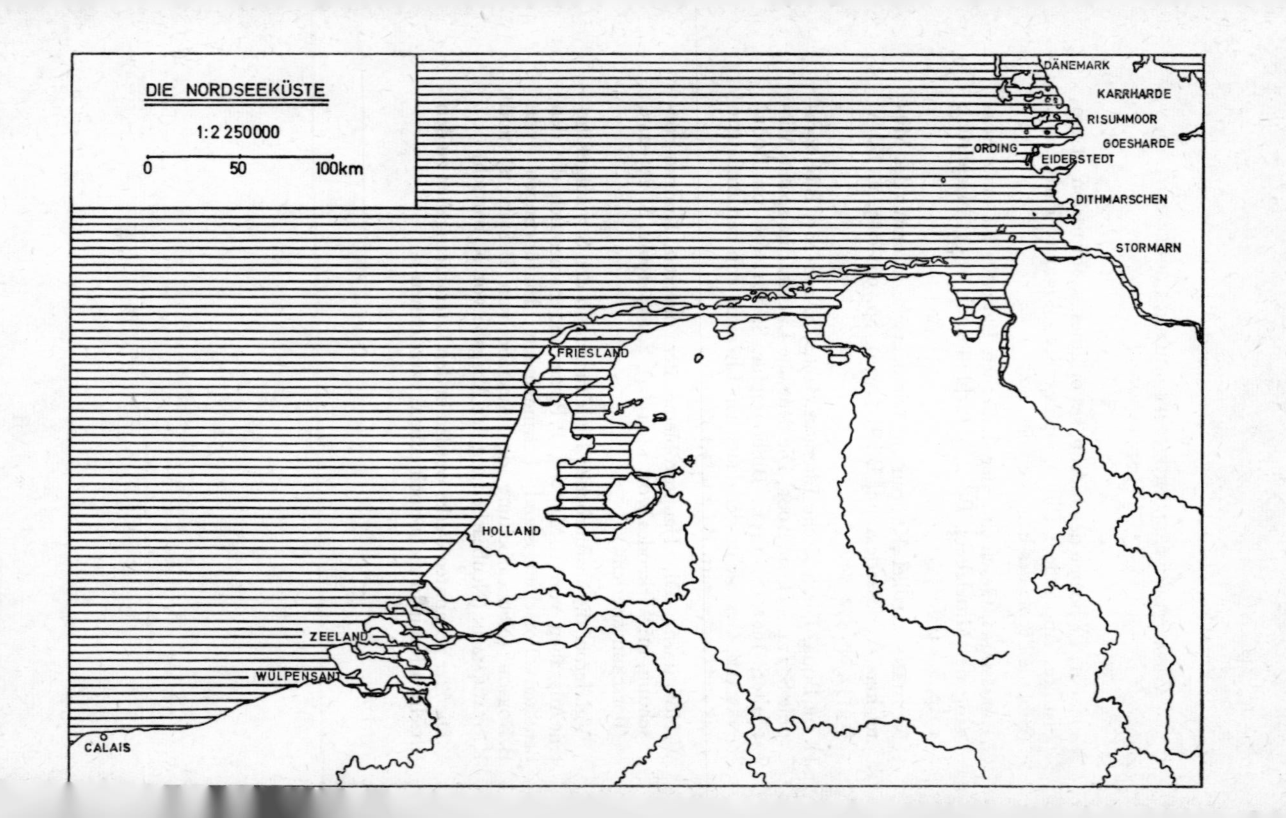
DIE NORDSEEKÜSTE
1:2 250000
0
50
100km
DÄNEMARK
KARRHARDE
RISUMMOOR
GOESHARDE
ORDING
EIDERSTEDT
DITHMARSCHEN
STORMARN
FRIESLAND
HOLLAND
ZEELAND
WULPENSANT
CALAIS

1. Kapitel: Die Überlieferung

1. Die Handschrift

Das mhd. Heldenepos ›Kudrun‹ ist nur in einer einzigen Handschrift überliefert. Wenn man dagegen bedenkt, daß wir vom ›Nibelungenlied‹ 34 vollständige oder fragmentarische Handschriften kennen, dann läßt sich leicht einsehen, daß wir der ›Kudrun‹ eine viel geringere Verbreitung als dem ›Nibelungenlied‹ im Mittelalter zusprechen müssen. Wir erfahren auf diese Weise auch nichts davon, daß der Text der ›Kudrun‹ wie der des ›Nibelungenliedes‹ schon im Mittelalter fortwährend Gegenstand der kritischen Auseinandersetzung gewesen wäre, so daß wir eine Dichtung wie das ›Nibelungenlied‹ in ganz verschiedenen Fassungen lesen können, von denen z.B. die in der Hs. *k* gebotene Version, die man als „bürgerlich" bezeichnet hat, weit von der ältesten Fassung – repräsentiert von der Hs. *B* – mit ihrem heroisch-ernsten Stil absteht und uns einen Einblick in den Wandel des Geschmacks vermittelt. Nichts von alledem ist bei der ›Kudrun‹ möglich.

Doch ist die einzige Handschrift, die die ›Kudrun‹ überliefert, eine besondere. Es ist die sogenannte ›Ambraser Handschrift‹ oder das ›Ambraser Heldenbuch‹, entstanden im Anfang des 16. Jhs (1504–1515), geschrieben von dem Zöllner Hans Ried in Bozen. Hans Ried arbeitete im Auftrag Kaiser Maximilians I., der wegen seiner Bemühungen, der zerrütteten adligen Gesellschaft seiner Zeit die Ideale der höfisch-ritterlichen Kultur zu einem lebendigen Vorbild werden zu lassen, den Beinamen „der letzte Ritter" erhielt.

Die ›Ambraser Handschrift‹ trägt ihren Namen nach ihrem früheren Aufenthaltsort, dem Schloß Ambras bei Innsbruck. Heute befindet sie sich in der Österreichischen Nationalbibliothek in Wien (Signatur: Ser nova 2663 [Kunsthistor. Hofmuseum XX. a. 018, vorher 73. E. 1]). Die ›Kudrun‹ ist auf den Blättern CXL[a] bis CLXVI[a] verzeichnet.

Über die Vorlagen, die Hans Ried benutzte, ist wenig Sicheres auszumachen. Allgemein wird angenommen, daß er eine etwas ältere Sammlung mhd. Epen kopierte, die vielleicht um die Wende vom 13. zum 14. Jh. entstanden war. Sie wird das ›Heldenbuch an der Etsch‹ genannt. Neuere Forschungen (UNTERKIRCHER, MENHARDT) vermuten, daß die für das ›Ambraser Heldenbuch‹ charakteristische Vereinigung von höfischen Epen und Heldenepen in einem Codex erst von Kaiser Maximilian veranlaßt wurde.

Das ›Ambraser Heldenbuch‹ verdankt also seine Entstehung ebenso wie die großen Sammelhandschriften, in die im 13./14. Jh. die Lieder der Minnesänger aufgenommen wurden, um sie vor der Vergessenheit zu bewahren, dem Eifer eines an der mhd. epischen Literatur der höfischen Blütezeit interessierten Mannes, der mit Überlegung und hohem Kunstverstand bei der Sammlung der Epen und der Besorgung und Auswahl der Handschriften vorgegangen zu sein scheint; denn es sind durchweg gute, dh. die Absicht des Dichters und die älteste Gestalt des Werkes nicht allzusehr verfälschende Abschriften, die hier zusammengetragen wurden. Das läßt sich an solchen Werken erkennen, die in mehreren Handschriften überliefert sind, z.B. am ›Nibelungenlied‹, in dessen Überlieferung die in der Ambraser Sammlung enthaltene Handschrift *d* als guter Textzeuge gilt.

Das ›Ambraser Heldenbuch‹ läßt durch seinen Inhalt erkennen, was zu Beginn des 15. Jhs an mhd. epischer Dichtung geschätzt wurde.

Am Anfang stehen klassische „Lehrbücher" ritterlich-höfischer Lebens- und Denkweise: Strickers ›Frauenehre‹, Heinrichs von dem Türlin ›Mantel‹, ›Moriz von Craun‹, vor allem aber Hartmanns von Aue ›Iwein‹, ›Erec‹, ›Büchlein‹, sowie das sogenannte ›2. Büchlein‹, das Hartmanns Werk so nahesteht, daß es ihm eine Zeitlang zugeschrieben werden konnte.

Eine zweite Gruppe bilden mhd. Heldenepen. Sie wird von ›Dietrichs Flucht‹ und der ›Rabenschlacht‹ eröffnet, den beiden großen Dietrichepen, in denen die Lebensgeschichte Dietrichs von Bern beschrieben wird und die damit des besonderen Interesses Kaiser Maximilians sicher sein durften. Auf das ›Nibelungenlied‹ und ›die Klage‹ folgt (als Nr 12 der Sammlung) die ›Kudrun‹, ›Biterolf‹, ›Ortnit‹, ›Wolfdietrich A‹ schließen sich an.

Eine letzte Gruppe bilden Dichtungen der im 13. Jh. neu aufkommenden Gattung der kurzen Verserzählung, die gern schwankhaften oder *bîspel*-Charakter trägt: ›Vom üblen Weib‹, vier Erzählungen des Herrant von Wildonie, Strickers ›Pfaffe Amis‹, Wernhers ›Meier Helmbrecht‹.

Der Initiator dieser Sammlung, Kaiser MAXIMILIAN I., wurde durch sein Interesse für bildende Kunst und Literatur zum großen Mäzen des 15. und beginnenden 16. Jhs. Es ist bezeichnend für diese Zeit des Umbruchs, daß er Ulrich von Hutten mit dem Dichterlorbeer krönte und Konrad Celtis beauftragte, die Wiener Universität aus dem Geist des Humanismus zu reformieren, daneben aber sich mittelalterlichem Denken in von ihm veranlaßten oder gar mitverfaßten Werken wie dem (geplanten) ›Freydal‹, dem ›Teuerdank›, dem ›Weißkunig‹ und eben der Sammlung ›Ambraser Heldenbuch‹ verpflichtet und verbunden zeigt. Bildhaften Ausdruck sollte das im Grabmal Maximilians finden, das, nur teilweise vollendet, als Torso in Innsbruck aufgestellt wurde. In einem großen Ahnenzug sollten neben des Kaisers Verwandten und Vorfahren im Amt (Cäsar, Chlodwig, Karl der Große) die beiden Gestalten, die Vorbilder seiner geistigen Haltung waren, zum Grabmal des Kaisers ziehen: König Artus und Theoderich.

Wir verdanken also die Überlieferung der ›Kudrun‹ Kaiser Maximilians Interesse an der deutschen Heldendichtung, und es wäre vielleicht lohnend zu untersuchen, ob sich aus Kaiser Maximilians Schriften eine Antwort auf die Frage finden läßt, was diese Epen ihm und damit einem wichtigen Zeugen der Gesellschaft jener Zeit bedeuteten. Das verspräche manchen Aufschluß zu dem heute viel diskutierten Verhältnis von Artusepik und Heldendichtung und für literatursoziologische Fragen.

2. *Ausgaben*

Die Geschichte der ›Kudrun‹-Forschung beginnt mit der Bemühung um den Text. 1817 entdeckte Alois Primisser die Handschrift in der Ambraser Sammlung, die er betreute. Bald darauf gab er zusammen mit Friedrich Heinrich von der Hagen einen Handschriftenabdruck mit einigen Verbesserungen und ergänzenden Konjekturen heraus.

Daß die ›Ambraser Handschrift‹ im allgemeinen als guter Textzeuge gelten kann, muß für die ›Kudrun‹ eingeschränkt werden. Weder der Wortlaut noch die metrische Form und die Strophenanordnung sind so beschaffen, daß der Text ohne große Veränderungen in den modernen Ausgaben erscheinen könnte. Die Unordnung in der Reihenfolge der Strophen ist oft dadurch entstanden, daß der Schreiber, irritiert durch den gleichlautenden Anfang zweier oder mehrerer Strophen, ausgelassene Strophen später nachtrug. An anderen Stellen meint man eine Zufügung aus inhaltlichen Gründen erkennen zu können, die ungeschickt vorgenommen wurde und den Zusammenhang stört.

Schwanken in der Ausprägung der Strophenform verstärkt dies Bild eines unausgewogenen Textes. Neben normalen Kudrunstrophen stehen solche mit Zäsurreim, dann aber auch regelrechte Nibelungenstrophen. Sind solche Abweichungen von der metrischen Norm als jüngere Zusätze oder als alte Reste zu betrachten oder gab es überhaupt keine metrische Norm, die für den Kudrundichter verbindlich war? (vgl. S. 80f)

Die größte Schwierigkeit stellt die Sprachform der Handschrift dar. Es handelt sich um ein bairisch-österreichisch gefärbtes Frühneuhochdeutsch des 16. Jhs. Daraus die Sprache des Originals, also das Mhd. der 1. Hälfte des 13. Jhs in bairischer Ausprägung, zurückzugewinnen, muß notwendig von vornherein als ein fast aussichtsloses Unternehmen angesehen werden. Dennoch besteht die Berechtigung dazu, es immer wieder erneut zu versuchen, wenn man nicht von vornherein darauf verzichten will, das Werk wenigstens in Umrissen in der Gestalt erstehen zu lassen, in die es ein Dichter des 13. Jhs brachte, und damit auch äußerlich die Verwandtschaft zur mhd. Heldenepik jener Zeit sichtbar werden zu lassen, in der es dem geistigen Habitus nach offensichtlich steht.

Einer These FRIEDRICH NEUMANNS folgend sieht man heute in dem unausgeglichenen Text der ›Kudrun‹ wie ihn die ›Ambraser Handschrift‹ bietet, nicht mehr das Ergebnis jüngerer Eingriffe, die sich zerstörerisch ausgewirkt haben, sondern vermutet, daß es nie so etwas wie eine durchgearbeitete Endfassung der ›Kudrun‹ gegeben habe. Der vorliegende Text soll vielmehr einem beweglichen Vortragsmanuskript entstammen und die Erweiterungen und Umgestaltungen vieler Hände aufweisen.

Angesichts einer so schwierigen Überlieferungslage stellt sich der Wunsch nach einer neuen Ausgabe ein, in der ein Handschriftenabdruck neben einem normalisiertem Text stehen sollte, damit das kritische Mitdenken bei der Textgestaltung wie es KARL STACKMANN, der jüngste Herausgeber der ›Kudrun‹, fordert, leichter möglich wird.

Die bisherigen ›Kudrun‹-Ausgaben lassen sich zwei Gruppen zuordnen. Sie bieten entweder den gesamten erhaltenen Text und normalisieren nur Sprach- und Strophenform oder sie versuchen darüber hinaus die Urgestalt des Werkes durch Ausscheiden von vermuteten Einschüben und Zusätzen zu gewinnen.

Die älteste Gesamtausgabe, die sich nicht um die Rekonstruktion der ursprünglichen Fassung des Werkes, wohl aber bereits um die Rückübersetzung des Werkes in die Sprache des Originals bemühte, gab A. ZIEMANN 1835 heraus. Durch sie wurde das Gedicht langsam bekannt. Den Bau der Kudrunstrophe erkannte Ziemann noch nicht.

1865 erschien KARL BARTSCHS Ausgabe in der Reihe ›Deutsche Klassiker des Mittelalters‹. Bei der Herstellung des Textes berücksichtigte Karl Bartsch zum erstenmal den allgemeinen Charakter derSprache des ›Ambraser Heldenbuches‹ und leistete damit Grundlegendes für die Textkritik. – Die lange entbehrte Ausgabe steht seit 1965 neu bearbeitet von KARL STACKMANN wieder zur Verfügung, versehen mit einer ausführlichen Einleitung, die den Forschungsstand wiedergibt, reichen Anmerkungen und einem textkritischen Anhang. Besonders verwiesen sei auf die Äußerungen des Herausgebers zur textkritischen Situation der ›Kudrun‹ (Einl. S. LXXXIX bis XCIV und Schlußwort S. 346f.), in denen die Schwierigkeiten jeder ›Kudrun‹-Ausgabe bedrückend deutlich werden.

K. BARTSCH betreute auch die Ausgabe in ›Kürschners Deutscher Nationalliteratur‹. Nach seinem Tode gab PAUL PIPER in dieser Reihe die ›Kudrun‹ heraus. Diese Ausgabe ist immer noch besonders wertvoll, da ihr eine bis heute nicht ersetzte umfangreiche Sammlung der Zeugnisse zur Kudrunsage beigegeben wurde. – In ERNST MARTINS Ausgabe begleitet ein ausführlicher Kommentar den Text. – BAREND SYMONS schuf die Ausgabe für die ›Altd. Textbibliothek‹. Er suchte dem Wortlaut des hs. Textes möglichst nahe zu bleiben und ging über die Gepflogenheiten der Editionsreihe, in der die Ausgabe erschien, hinaus, indem er die Lesarten der Handschrift anführte, falls der von ihm hergestellte Text davon abwich, und knappe sachliche Anmerkungen hinzufügte. Die 1954 in 3., 1964 in 4. Auflage erschienene Neubearbeitung dieser Ausgabe durch BRUNO BOESCH gibt dem Mißtrauen unserer Zeit gegen die Konjekturalkritik des 19. und beginnenden 20. Jhs Ausdruck, wenn sie an vielen Stellen noch über Symons hinaus zum Wortlaut der Handschrift zurückkehrt.

1921 gab EDUARD SIEVERS die ›Kudrun‹ zusammen mit dem ›Nibelungenlied‹ heraus. Grundlage der Textgestaltung ist Sievers' schallanalytische Methode, nach der er den Text so formte, daß er möglichst an allen Stellen bei sinn- und stimmungsgemäßem Vortrag melodisch richtig und ohne stimmliche Hemmung gesprochen werden kann (Nachwort, S. 616).

Für die ›Kudrun‹-Ausgaben, die versuchen, vermutete epische Lieder zurückzugewinnen, aus denen man das Epos zusammengesetzt glaubte, sind die Thesen KARL LACHMANNS Voraussetzung. Er hatte angenommen, daß die Heldensagen in einzelnen Liedern tradiert wurden, deren jedes einen Abschnitt der Gesamthandlung zum Inhalt hatte.

Auch in der ›Kudrun‹ vermutete man sogenannte „epische Lieder" und glaubte, sie durch Abstreichen der Zufügungen des Sammlers oder Ordners, der sie zum Epos zusammenfaßte, in ihrer ursprünglichen Gestalt zurückgewinnen zu können. LUDWIG ETTMÜLLER versuchte das als erster; wenig später folgten KARL MÜLLENHOFF und A. J. VOLLMER. Die Lachmannsche Liedertheorie wurde erst 1905 durch ANDREAS HEUSLER (»Lied und Epos in germanischer Sagendichtung«, 1905, fotomechan. Neudruck 1956) endgültig widerlegt. Hinsichtlich der ›Kudrun‹ kämpften W. WILMANNS (»Die Entwicklung der Kudrundichtung«, 1873) und FRIEDRICH PANZER (»Hilde-Gudrun, eine sagen- und literargeschichtliche Untersuchung«, 1901) gegen dieses mehr oder minder willkürliche Zerreißen der Einheit des Werkes, so daß in Zukunft ähnliche Versuche wie die von Ettmüller und Müllenhoff unterblieben.

Doch hatte Müllenhoffs Ausgabe eine nicht zu vergessende praktische Folge. Die ›Kudrun‹ enthält wirklich manche zerdehnten Stellen und für den Verlauf der Handlung überflüssige Strophen, die von Müllenhoff mit feinem Gespür herausgefunden und eliminiert wurden. So entstand ein komprimierter, die Schönheiten des Werkes bewahrender, die Schwächen weitgehend vermeidender Text, der die wesentlichen Züge der Handlung herausstellte und so geeignet war, dem Laien und Anfänger das Gedicht leichter zugänglich zu machen. – Neben manchen Übersetzungen (z.B. von FRIEDRICH KOCH, 1847) machte sich auch OTTO L. JIRICZEK das zunutze, indem er die Müllenhoffsche Textfassung seiner Auswahl zugrunde legte.

Literatur:

Beschreibung der ›Ambraser Handschrift‹:

F. H. VON DER HAGEN, Heldenbuch I, 1855, S. XII–XIX.
H. MENHARDT, Verzeichnis der altdt. literar. Hss. der Österreich. Nationalbibliothek. Bd 3. 1961, S. 1469–1478. (Dt. Akad. d. Wiss. in Berlin. Veröffentlichungen des Instituts für dt. Sprache u. Literatur. Bd 13.)

Über Kaiser Maximilian und Hans Ried:

R. NEWALD u. E. A. GESSLER, Maximilian I., in: Verf.Lex. Bd 3 (1943), Sp. 303–318, Nachtr. Bd 5 (1955), Sp. 673.
R. BUCHNER, Maximilian I. Kaiser an der Zeitenwende. 1959.
R. NEWALD, in: Verf.Lex. Bd 3 (1943), Sp. 1075–1077.
E. THURNHER, Wort u. Wesen in Südtirol. 1947.

Über die Vorlage:

O. Zingerle, Das Heldenbuch an der Etsch, in: ZfdA 27 (1883), S. 136–142.

F. Unterkircher, Das Ambraser Heldenbuch, in: Der Schlern 28 (1954), S. 4–15.

H. Menhardt, Das Heldenbuch an der Etsch, in: Der Schlern 32 (1958), S. 318–321.

Zur Textkritik:

K. Bartsch, Beiträge zur Geschichte u. Kritik der Kudrun. 1865.

E. Schröder, Zur Überlieferung u. Textkritik der Kudrun, in: Nachr. d. Königl. Ges. d. Wiss. zu Göttingen. Phil. hist. Kl. 1917, S. 21–37; 1918, S. 506–516; 1919, S. 38–60 u. 159–169; 1920, S. 285–306.

M. H. Jellinek, Bemerkungen zur Textkritik u. Erklärung der Kudrun, in: ZfdA 72 (1935), S. 200–206.

G. Jungbluth, Einige Kudrun-Episoden. Ein Beitrag zum Textverständnis, in: Neophilologus 42 (1958), S. 289–299.

F. Neumann, in: AfdA 69 (1956/57), S. 24–39 (Rezensionen der Ausgaben von Boesch und Moret).

S. Gutenbrunner, Von Hilde u. Kudrun, in: ZfdPh. 81 (1962), S. 257–289.

F. H. Bäuml, Some Aspects of Editing the Unique Manuscript: A Criticism of Method, in: Orbis litterarum 16 (1961), S. 27–33.

Th. P. Thornton, Die Schreibgewohnheiten Hans Rieds im Ambraser Heldenbuch, in: ZfdPh. 81 (1962), S. 52–82.

Ausgaben:

Der Helden Buch in der Ursprache. Hrsg. von F. H. von der Hagen u. A. Primisser. Teil 1, 1820. In: Dt. Gedichte des MAs, hrsg. v. F. H. von der Hagen u. J. G. Büsching, Bd 2.

Kutrun, Hrsg. v. A. Ziemann, 1835. (Bibl. der gesamten dt. Nationallit. 1.)

Gudrunlieder. Nebst e. Wörterbuch hrsg. v. L. Ettmüller, 1841.

Kudrun. Die echten Theile des Gedichtes mit einer kritischen Einleitung. Hrsg. v. K. Müllenhoff, 1845. Spätere Auflagen 1853 u. 1859 von K. A. Hahn.

Gudrun. Hrsg. v. A. J. Vollmer, 1845.

Kudrun u. Dietrichepen in Auswahl mit Wörterbuch von O. L. Jiriczek. 6. Aufl., bearb. v. R. Wisniewski, 1957. (Sammlung Göschen. 10.)

Kudrun. Hrsg. v. Karl Bartsch, 1865; 4. Aufl. 1880; 5. Aufl., überarb. u. neu eingel. v. Karl Stackmann, 1965 (Dt. Klassiker des Mittelalters, 2.)

Kudrun. Hrsg. u. erklärt v. Ernst Martin, 1872; 2. Aufl. 1902. (Germanist. Handbibl. 2.) – Spätere Textabdrucke ohne den Kommentar gab Edw. Schröder 1911 und 1919 heraus.

Kudrun. Hrsg. v. B. SYMONS, 1883; 2. Aufl. 1914; 3. Aufl. (1954) u. 4. Aufl. (1964), besorgt v. B. BOESCH (Altdt. Textbibl. 5.) – Nach der letzten Auflage dieser Ausgabe wird in dem vorliegenden Band zitiert.

Kudrun. Bearbeitet v. P. PIPER, 1895. (Kürschners Dt. Nationallit. 6.)

Der Nibelunge Not. Kudrun. Hrsg. v. E. SIEVERS. 1920; Nachdruck 1947 u. 1955. (Über die Grundsätze der Textgestaltung vgl. E. SIEVERS, Die stimmliche Gliederung des Kudruntextes, in: PBB 54 (1930), S. 418–456.)

Kudrun. Edition partielle. Introduction, notes et glossaire par A. MORET, Paris 1955. (Bibl. de philol. germanique. 18.)

Glossar:

R. BLIEM, Vollständiges Glossar zum Kudrunepos, Diss. Wien 1954 (Masch.).

Übersetzungen:

Die erste wirkliche Übersetzung ins Neuhochdeutsche veröffentlichte A. KELLER, 1840.

Am bekanntesten ist die Übersetzung von KARL SIMROCK, 1843; seitdem viele Neuauflagen.

Kudrun (Gudrun). Karl Simrocks Übersetzung eingeleitet u. überarbeitet v. F. NEUMANN, 1958. (Reclams Univ.-Bibl. Nr 465/67.)

2. KAPITEL: DER STOFF

Die genetische Betrachtungsweise sollte bei einem mittelalterlichen Werk immer neben jener anderen stehen, die eine Dichtung aus sich selbst und im Zusammenhang mit den Problemen ihrer Zeit zu verstehen sucht. Die vergleichende Interpretation verschiedener Fassungen eines Stoffes erschließt Dichtungsgeschichte und bietet manche Möglichkeit für Beobachtungen über Veränderungen menschlichen Geistes, wie er sich in Dichtung manifestieren kann. Das wird namentlich dann reizvoll, wenn allgemeine kulturgeschichtliche Aspekte dabei berücksichtigt werden.

Hier kann eine solche vergleichende Interpretation einzelner Entwicklungsstufen des der ›Kudrun‹ zugrunde liegenden Stoffes nicht in extenso nachgezeichnet werden. Es geht nur um das Aufweisen der wichtigsten, namentlich der strukturellen Veränderungen im Handlungsgefüge, die der Stoff bei der Prägung in verschiedenen Fassungen erfuhr, bis er – so geprägt! – zum Material für den Kudrundichter des 13. Jhs wurde.

Das mhd. ›Kudrun‹-Epos enthält zwei umfangreiche Handlungszusammenhänge: die Erzählung von *Hilde* (Str. 197–574) und die von *Kudrun* (575–1705). Beide Geschichten scheinen ursprünglich selbständige germanische Sagen als Stoff zu verwenden, die auf die einfachste Weise miteinander verbunden wurden: Hetel und Hilde, die Protagonisten der ersten Haupthandlung, sind Kudruns Eltern und spielen als solche in der Kudrungeschichte, dem eigentlichen Hauptteil des Werkes, nach dem es auch seinen Namen trägt, ihre Rollen. Anders als im ›Nibelungenlied‹, in dem die Sage von Siegfrieds Ermordung mit der vom Untergang der Nibelungen ursächlich verbunden erscheint, sind also Hilde- und Kudrunteil nicht in kausale Beziehung zueinander gesetzt. Durch die genealogische Verknüpfung ergeben sich aber manche reizvollen Konfrontationen von Angehörigen verschiedener Generationen in ähnlichen Situationen (vgl. S. 74).

Vor dem Hildeteil erscheinen zwei kurze Erzählungen. Die erste umfaßt nur 21 Strophen und schildert Werbung und Hochzeit *Sigebants,* des Großvaters der Hilde. Beider Sohn *Hagen* erlebt ein Jugendabenteuer – die Entführung durch einen Greifen –, das schon auf das spätere Schicksal seiner Tochter *Kudrun* vorausdeutet. Die Hagenerzählung bildet den Gegenstand der zweiten – den bei dengroßen Handlungszusammenhängen vorgelagerten – Erzählung (22–196).

Über die Vorgeschichte der vom Kudrundichter hier verwendeten Stoffe besteht noch manche Unklarheit. Relativ sicher scheint nur zu sein, daß es eine Hildesage gab, die in germanischer Zeit entstand und deren Entwicklung bis hin zu ihrer Aufnahme in die ›Kudrun‹ einigermaßen klar zu überschauen ist. Ob auch für den Kudrunteil eine germanische Heldensage den Stoff bot, ist viel umstrittener Gegenstand der Kudrunforschung. Für die Vorgeschichten von Sigebant und Hagen wurde diese Frage bisher noch wenig untersucht. Namentlich die Parallelen von Jungsiegfrieds Drachenkampf und Hagens Sieg über den Greifen wären wohl genauerer Betrachtung wert.

1. Hildesage

Wie sah die älteste Fabel aus? Saxo Grammaticus, ein Chronist des 12. Jhs, der die Geschichte der Dänen schrieb, weiß u.a. zu berichten, daß zwischen *Höginus* (= latinisierte nordische Form für *Hagen*) und *Hithinus,* einem norwegischen

König der Jüten, ein Kampf auf der Insel *Hithinsö* stattgefunden habe, bei dem die beiden Könige sich gegenseitig töteten:

Hithinus, König eines norwegischen Volksstammes, wird der Freund und Kriegsgefährte des Höginus, eines Kleinkönigs der Jüten. Dessen Tochter Hilda ist von so großer Schönheit, daß Hithinus sich in sie verliebt, als er nur davon erzählen hört. Schließlich verlobt Höginus die Tochter seinem Freund Hithinus. Nach einiger Zeit wird Hithinus bei Höginus beschuldigt, der Hilda schon vor der feierlichen Vermählung zu nahe getreten zu sein. Höginus glaubt der Verleumdung und eilt mit einer Flotte dem gegen die Slaven kämpfenden Hithinus nach. Ein Kampf erhebt sich – und Höginus wird besiegt. Er segelt zurück nach Jütland. Ein Zweikampf soll über Recht und Unrecht entscheiden. Hithinus wird schwer verwundet, aber Höginus schenkt ihm das Leben. Sieben Jahre später beginnen beide den Kampf aufs Neue bei der Insel Hithinsö. Beide sterben an den Wunden, die sie sich gegenseitig schlagen. „Man sagt, daß Hilda von solcher Liebe zu ihrem Gatten ergriffen war, daß sie nachts die Seelen der Verstorbenen wieder erweckte, um den Kampf zu erneuern."

Die Geschichte enthält viel Ungereimtes; denn weshalb muß der Kampf nach sieben Jahren erneuert werden, obwohl Höginus Hithinus begnadigte und offensichtlich der Vermählung zustimmte, da Hilda im Schlußsatz als Gattin des Hithinus bezeichnet wird? Wir werden vielmehr annehmen dürfen, daß Saxo seinem Gesamtwerk zuliebe manches änderte, so vor allem eine früher erfolgte Entführung durch die Verleumdung ersetzte und das Mittelstück mit dem gerichtlichen Zweikampf einfügte.

Diese Vermutung beruht auf der Darstellung eines anderen Textes. Der Isländer Snorri Sturluson (1179–1241) erzählt „nach alten Liedern" in seiner Prosaedda (cap. 65) folgende Geschichte:

Während König Högni bei einer Königsversammlung weilt, wird seine Tochter Hilde von einem König namens Hedin über das Meer entführt. Högni verfolgt die Fliehenden. Bei den Orkney-Inseln holt er sie ein. „Da ging Hilde ihren Vater aufzusuchen und bot ihm in Hedins Namen ein Halsband zum Vergleich; wenn er aber das nicht wolle, so sei Hedin zur Schlacht bereit und hätte Högni von ihm keine Schonung zu erhoffen. Högni antwortete seiner Tochter hart, und als Hedin sie traf, sagte sie ihm, daß Högni keinen Vergleich wolle, und bat ihn, sich zum Streit zu rüsten. Und also taten sie beide, gingen auf das Eiland (Haeg) und ordneten ihr Heer. Da rief Hedin seinen Schwäher Högni an und bot ihm Vergleich und viel Gold zur Buße." Auch dieses Angebot lehnte Högni ab, und die Schlacht entbrennt. Sie wird Hiadningawig (= Kampf der Hedninge) genannt und muß bis zur Götterdämmerung andauern, denn in der Nacht erweckt Hild stets von neuem die Toten, die am Tag zuvor fielen.

Die Ähnlichkeit mit Saxos oben zitiertem Text besteht in den Namen und Konstellationen der Personen und in dem Gefüge der Handlung. Doch ist das Gefüge der von Snorri gebotenen Erzählung in sich stimmiger, und das läßt es als das ursprünglichere erscheinen, das in Saxos Bericht nur noch verzerrt durchschimmert.

Der seltsame Schluß von Snorris Bericht, Hilds Steigerung zum Kampfdämon, dürfte aus der Vorliebe für mythologische Umgestaltungen entstanden sein, die sich häufig in den nordischen Versionen germanischer Heldensagen beobachten lassen. Wenn man es als jüngere Zutat abstreicht, ergibt sich für das älteste Handlungsgefüge der Hildesage die Dreiheit: Entführung der Hilde durch Hedin, Verfolgung durch Hildes Vater Hagen, Kampf auf einer Insel, bei dem sich Entführer und Verfolger gegenseitig töten.

Damit ist die älteste erkennbare Fassung der Hildesage als Brautraubfabel mit tragischem Ausgang zu bestimmen.

Wir haben hier den Typus des altgermanischen Wikingliedes vor uns. Es geht darin um Brautraub und Entführung über See. Der innere Beweggrund der Handlung aber liegt in der freien Willensentscheidung der Heldin, die zum Konflikt zwischen Sippenbindung und persönlicher Liebesbindung führt. Die Kraft dieser Liebe wird als so mächtig empfunden, daß sie die Frau aus der festgefügten Einordnung in die Sippe zu lösen vermag, – und andererseits scheint sie über den geliebten Mann eine solche Gewalt zu besitzen, daß sie sogar noch den Toten zu einer letzten Liebesvereinigung auf die Erde zurückzwingt.

In der Edda wird dieser Typus des altgermanischen Heldenliedes durch die Helgilieder repräsentiert. Da diese nicht nur in der Struktur der Fabel den ältesten Fassungen der Hildesage ähnlich sind, sondern auch Namen der Hildesage enthalten *(Hedinn, Högni, Hedinsey)* bleibt zu erwägen, ob sie dem Hildelied nicht allein im Genus verwandt und daher bereit, von ihm Einzelheiten zu übernehmen, sondern darüber hinaus Umgestaltungen eines Hilde-Liedes sind und damit Zeugen der nordischen Tradition der Hildesage. Deren späte Ausläufer sind schottische und dänische Balladen und Folkeviser, die erst in der Neuzeit, im 17./18. Jh., schriftlich fixiert wurden (vgl. SYMONS/BOESCH, STACKMANN, CARLES).

Aus der Konzeption des wikingischen Brautraubliedes, das

die Frau als Objekt der Entführung, als Subjekt der Entscheidung für den sie der Sippe entreißenden Mann sieht und das sie damit zur Ursache eines Kampfes zwischen den ihr am nächsten verbundenen Männern (Vater und Ehemann) werden läßt, glauben wir die Hildesage entstanden. Die Fabel wurde in ihrer ältesten Gestalt vermutlich in die Form eines stabreimenden Heldenliedes gefaßt.

Wann und wo entstand diese älteste Fassung der Hildesage? In einem ags. Merkgedicht des 8. Jhs, dessen Verfasser sich WIDSITH (= Weitfahrer) nennt, stehen folgende Verse:

'AEtla weold Hunum, Eormanric Gotum,
'Becca Baningum, Burgendum Gifica;
'Casere weold Creacum ond Celic Finnum,
'Hagena Holm-Rygum ond Heoden Glommum;
'Witta weold Swaefum, Wada Haelsingum, (v. 18–22).

Drei aus der Hildesage bekannte Gestalten begegnen hier: *Hagen* herrschte über die Inselrugier *(Holm-Rygum), Heoden* über die *Glommen, Wada* über die *Haelsungen.* Das sind Hagen, Hetel und Wate. Der zuletzt genannte steht allerdings nicht in direktem Anschluß an Hagen und Heoden. So muß zweifelhaft bleiben, ob er von Widsith mit Hagen und Hetel in Zusammenhang, wie er durch eine Heldensage hergestellt sein könnte, gesehen wurde.

Widsith zählt hier Herrscher und deren Völker aus der Zeit des 4.–6. Jhs auf, was sich an einigen auch sonst bekannten Namen erkennen läßt. Für die Hildesage bedeutet das, daß sich ihr historischer Ansatzpunkt in der Geschichte des 4.–6. Jhs zu befinden und daß sie sich an zwei Herrscher des Ostseeraumes zu knüpfen scheint. Denn die Glommen, über die Hedin herrschte, wohnten vermutlich an der pommerschen Ostseeküste. Nicht weit davon saßen die Holm-Rugier (= Insel-Rugier), als deren Herrscher Hagen von Widsith genannt wird. Diese zogen aus ihrer Urheimat, dem Kattegat, über Rügen, dem sie den Namen gaben, zur Oder- und Weichselmündung und von dort weiter nach Südeuropa. Da das anscheinend schon vor dem Jahr 434 geschah, ergibt sich dies Jahr als ‚terminus ante quem' für die Entstehung der Hildesage. Hedin, als Herrscher über die Glommen von Widsith bezeugt, wurde im Namen der Insel Hiddensee ein unvergängliches Denkmal gesetzt. Die heutige Form des Namens ist eine volkstümliche Umdeutung eines älteren *Hedens-ey* = ‚Hedins Insel'. Besagt der Name nur, daß die Insel einst zu Hedins

Herrschaftsbereich gehörte, oder fand auf ihr tatsächlich – wie Saxo Grammaticus berichtet – ein Kampf zwischen Hedin resp. den Glommen und Hagen resp. den Rugiern statt?

Da sich die Hildesage dank Widsiths Zeugnis historisch mindestens im Beginn des 5. Jhs verankern läßt, ist sie eine der ältesten germanischen Heldensagen, vielleicht sogar die älteste.

Es gibt die Auffassung, daß vor dieser historisch-soziologisch orientierten Ausformung der Hildesage eine mythische gelegen habe. Sicher ist, daß die nordische Tradition der Hildesage ähnlich wie die der Brünhildsage viele mythische Elemente enthält. Ihre Funktion ist noch wenig geklärt. F. R. Schröder vermutet, daß die Hildesage die Heroisierung eines alten Mythos sei.

Es ist schwer, über dieses in Quellen erhaltene Grundschema der Sage hinaus etwas über mögliche weitere Handlungszüge sowie die Weiterentwicklung auszusagen. Widsith nennt einen Wada als Herrscher der Haelsinge. Er ist sicher mit dem alten, harten, wege- und heilkundigen Wate des mhd. Epos identisch. Aber wann kam er in die Sage hinein? Gehörte er schon dem Urlied an, oder – was wahrscheinlicher ist – trat er erst später (vielleicht aus einer anderen Sage) hinzu?

Dieselbe Unsicherheit besteht bei Horand. Eine andere angelsächsische Dichtung des 8. Jhs, Deors Klage, kennt ihn bereits. In der 7. Strophe klagt der Sänger Deor, daß er der *Heodeninga scop* (= Skop der Hedeninge) war, bis *Heorrenda leodcraeftig monn* (= Horand, der liedgewaltige Mann) ihn verdrängte. – Da Horand hier bereits in der für ihn so überaus charakteristischen Rolle gezeichnet wird, möchte man an ein relativ hohes Alter dieser Gestalt der Sage glauben. Vielleicht kannten schon die ersten Umgestaltungen des Liedes Horand als Werber und Helfer an Hedins Seite, vielleicht war er ehemals Hedins Vater, wie es die Snorra-Edda berichtet, wenn wir nicht sogar mit F. Panzer annehmen müssen, daß Hedin und Horand ursprünglich identisch waren. Nordisch *Hjarrandi* (= mhd. *Horant*) kann Beiname des Königs Hedin gewesen sein.

Die Urfabel von Hildes Entführung war wie kaum eine andere geeignet, durch das Brautwerbungsschema ausgestaltet zu werden. Vielleicht kannte schon die älteste Form der Sage eine regelrechte Werbungsgeschichte, was etwa Saxos Fassung der Hildesage vermuten ließe. Ebensogut ist die Meinung vertretbar, daß die Werbungsgeschichte (und mit ihr Horand?) erst in einer jüngeren Sagenstufe zum alten Kern hinzukam.

So etwa unterscheidet F. NORMAN (Einleitung zur Ausg. des ›Dukus Horant‹) drei Entwicklungsstufen der frühesten Hildesage: um 400 die erste Fabel, um 600 die Fabel um Horant erweitert, um 800 Wates Hinzukommen zur Hildesage.

Wirklich greifbar wird erst wieder eine Hildedichtung im 12. Jh. Mehrere mhd. Epen dieser Zeit spiegeln sie wider. Wichtigstes Zeugnis ist eine Stelle in Lamprechts ›Alexander‹:

> Man saget von dem sturm der uf Wolfenwerde gescah
> – da Hilten vater tôt gelach –
> zewisken Hagenen unde Waten: (v. 1321 ff.).

Drei wichtige Neuerungen gegenüber der ältesten Sagenstufe lassen sich erkennen:

1. Der Kampf zwischen Entführer und Verfolger ist auf den Wolfenwert (bzw. Wülpensant) verlegt, eine Insel, die man in der Scheldemündung wieder entdeckt hat,
2. anscheinend fällt nur Hildes Vater im Kampf; sein alter Gegenspieler, Hetel, wird nicht erwähnt,
3. an Hetels Stelle als Bezwinger und Töter Hagens ist Wate getreten.

Die beiden letzten Änderungen mildern die Tragik der ursprünglichen Konzeption. Wenn nicht Hetel selbst, sondern Wate Hagen tötet, dann liegt darin der Ansatz eines versöhnlichen Ausgangs; denn schwerlich hätte Hilde dem Mann in Liebe verbunden sein können, der mit eigener Hand ihren Vater tötete. Die Einschaltung Wates macht es möglich, daß Hetel und Hilde heiraten, und damit ist zugleich die Möglichkeit geschaffen, die Kudrunsage anzuknüpfen, indem Kudrun – wie es das mittelhochdeutsche Epos zeigt – zur Tochter Hetels und Hildes wird.

Aber darf man für die vermutete Dichtung des 12. Jhs schon die Vereinigung beider Sagenteile annehmen? Die Erwähnung von *Herewich* und *Wolfwîn* (v. 1326) durch Lamprecht, also dem Bräutigam und vermutlich dem Bruder (vgl. *Ortwîn*) Kudruns, läßt das zwar denkbar erscheinen, kann aber nichts beweisen.

Ergänzend zur Alexanderstelle, aus der wir von Wates großer Tat auf dem Wolfenwert erfahren, tritt eine Bemerkung, die sich ebenfalls in einem Epos des 12. Jhs befindet, im ›Rolandslied‹:

> unt du helt Oigir,
> uil wol getriwe ich dir;

du bist des Waten chunnes,
dune waist nicht ubeles.
du hast rechte aines lewen mut,
der niemen nichein lait entut
erne werde ergremt. (v. 7799–7805).

Zusammengenommen mit der Aussage über den Kampf auf dem Wolfenwert läßt sie ahnen, wie packend die Gestalt Wates in der verlorenen Hildedichtung gezeichnet gewesen sein muß.

Noch ein drittes Epos des 12. Jhs streift mit einer Bemerkung die Hildesage. Diesmal handelt es sich sogar um eines aus dem engsten Kreis frühmhd. Epik, in den wir das vermutete Hildegedicht stellen: das mittelrheinische Spielmannsepos von ›Salman und Morolf‹.

Wêr ich alsô wîse als du Salmôn
und wêre als schône als Absalôn
und sunge als wol als Hôrant, (v. 31ff.).

Zusammen mit anderen Belegen (Weinschwelg, Wartburgkrieg, Boppe, v. d. Hagen, Minnes. II, S. 233f.) deutet die Stelle darauf, daß Horands Sangeskunst sprichwörtliche Berühmtheit besaß – und dafür scheint nicht erst das Kudrunepos der höfischen Zeit verantwortlich zu sein.

Aus diesen Zeugnissen frühmittelhochdeutscher Epen lassen sich bei vorsichtigem Zugriff nur wenige Fakten erkennen, die wir oben schon alle einmal erwähnten. Neben der Verlegung des Schauplatzes aus der Ostsee in die Nordsee, wodurch statt der Insel Hiddensee der Wülpenwert in der Scheldemündung Ort der großen Schlacht werden konnte, sind es vor allem Wates Rolle als kampfmächtiger Recke, der Hildes Vater Hagen tötet, und Horands Rolle als unwiderstehlicher Sänger, der die Werbung durchzuführen scheint.

Vor wenigen Jahren wurde ein mhd. Text entdeckt, der die Hildesage nicht nur in einer kurzen Reminiszenz erwähnt, wie die genannten, sondern der sie als Stoff verwendet. Es handelt sich um Bruchstücke eines Epos mit dem Titel ›Dukus Horant‹. Als Entstehungszeit wird neuerdings „um 1300“ genannt. Das Gedicht befindet sich in einem Codex des 14. Jhs, der in der Genisa von Fustat (= Alt-Kairo) entdeckt wurde. Die Hs. ist in aschkenasischer Schrift geschrieben. Im Dukus Horant geht es um folgendes:

König Etene, Herrscher über Italien, Spanien, Ungarn und Dänemark, beauftragt seinen Freund, den Herzog Horant von Dänemark, mit der Werbung um Hilde, die Tochter König Hagens von Griechenland. Horant fährt zusammen mit seinem Bruder Morunc und den Riesen Witolt, Asprian und Wate nach Griechenland, wo sie sich als von König Etene Verbannte ausgeben. Sie finden Aufnahme, und Horants Gesang betört Hilde so sehr, daß sie schließlich trotz aller Bedenken bereit ist, sich mit dem Sänger zu einer Unterredung zu treffen.

Nur dieser kurze Handlungsteil ist deutlich erkennbar; über Fortgang und Ausgang der Dichtung läßt sich nichts sagen.

Vergleiche mit den entsprechenden Passagen der ›Kudrun‹ haben ergeben, daß der ›Dukus Horant‹ nicht ohne weiteres aus dem Kudrunepos des 13. Jhs herzuleiten ist. Die vielen Unterschiede der beiden Texte in der Handlungsführung wie in Einzelmotiven führen eher zu dem Schluß, daß der ›Dukus Horant‹ auf einer anderen Fassung der Hildesage basiert und nicht auf der ›Kudrun‹. (So übereinstimmend CARLES, NORMAN, RÖLL/GERHARDT).

Der wichtigste Unterschied zwischen ›Kudrun‹ und ›Dukus Horant‹ liegt darin, daß in der ›Kudrun‹ die Kaufmannslist entscheidend für die Entführung ist, während Horands Gesang nur zur Annäherung an die Umworbene wichtig bleibt. Im ›Dukus Horant‹ fehlt die Kaufmannslist, – jedenfalls in der Gestalt, die wir aus der ›Kudrun‹ kennen.

Sollte sich der Eindruck durch Untersuchungen bestätigen lassen, daß der ›Dukus Horant‹ in seinem Handlungsverlauf auf einer Hildedichtung des 12. Jhs basiert, dann kommt diesem späten Werk, das von I. SCHRÖBLER als „Mittelglied zwischen den Epen des 13. Jhs und den späten Prosaauflösungen und Volksbüchern“ charakterisiert wurde, eine besondere Bedeutung für die Geschichte der Hildesage zu. Durch vergleichende Betrachtung der Anspielungen in den frühmhd. Epen und der Handlungsstruktur von Hildeteil des Kudrunepos und des ›Dukus Horant‹ sollte es eigentlich gelingen, den Umriß jenes verlorenen Werkes zu zeichnen.

In diesem Zusammenhang sei auf zwei mögliche Zeugen der Hildesage verwiesen, die einer Auswertung bedürften. Es handelt sich um die Hilde-Erzählung der ›Thidrekssaga‹ (cap. 322ff., Übs. S. 270ff.) und um eine Novelle des GIOVANNI FIORENTINA, geschrieben zwischen 1378 und 1385, auf die E. CASTLE aufmerksam machte. Ob die Ähnlichkeiten in der Handlungsführung, der Namen und Konstellationen der Personen eine halbwegs sichere Zuordnung zur Hildesage erlauben, sollte untersucht werden. Auch hier könnte der ›Dukus Horant‹ erhellend wirken. Einem ersten Eindruck nach ist gerade die Schlacht zwischen Entführern und Verfolgern, die also der auf dem Wülpensand entspricht, recht eindringlich geschildert.

Nach Ausweis des Alexander- und des Rolandsliedes muß diese Schlachtschilderung der Hildedichtung des 12. Jhs neben Horants Gesang besonderen Eindruck auf die Zeitgenossen gemacht haben.

Über Entstehungszeit, Entstehungsraum, Gehalt und Gestalt der vermuteten Hildedichtung läßt sich nur wenig sagen. Der literarische Umkreis ist zunächst anhand von Lamprechts ›Alexander‹ und dem ›Rolandslied‹ zu bestimmen, dann durch ›Salman und Morolf‹ und die Rother-Komponente im ›Dukus Horant‹. Die vermutete Hildedichtung stellt sich demnach innerhalb der frühmhd. Epik zu den sog. Spielmannsepen. Die Gestaltungsformen dieser Art von Dichtung sind in jüngster Zeit Gegenstand intensiver und ergebnisreicher Forschungsarbeiten gewesen (Benath, Curschmann, Siefken). Dabei hat sich ergeben, daß gerade die Verwendung von Handlungsschemata und Motiven, die für die Spielmannsepik typisch, im 13. Jh. aber eigentlich schon antiquiert waren, voraussetzt, daß der Dichter des Kudrunepos sie für seinen Hildeteil in einer Quelle vorfand, die spielmännisch geprägt war. Wie andere Spielmannsepen wird sie im 12. Jh. im (nieder-)rheinischen Gebiet entstanden sein, was nicht nur aus der Verwandtschaft mit den Spielmannsepen zu schließen ist, sondern aus der Bedeutung, die dem benachbarten flandrisch-holländischen Raum für die Vermittlung der Hildesage vom nördlichen zum südlichen Europa in jener Zeit zuzuerkennen sein wird.

Besonders schwer ist es, den spezifischen Gehalt des vermuteten Epos zu bestimmen. Es scheint, daß es sich noch nicht um ein Doppelepos von Hilde und Kudrun handelte, obwohl auch diese Vermutung geäußert worden ist. Die Stelle in Lamprechts ›Alexander‹ ist nicht eindeutig zu interpretieren. Wieder könnte vermutlich die genauere Analyse des ›Dukus Horant‹ weiterhelfen. Bisher scheint mir die Bewahrung des Namens ‚Schlacht auf dem Wülpensand' für die Hildesage am meisten für die Beschränkung der vermuteten spielmännischen Dichtung des 12. Jhs auf die Hildesage zu sprechen. – Der tragische Ausgang wird wohl, wie schon oben vermutet, einem versöhnlichen Schluß gewichen sein. Das ist aus dem allgemeinen Charakter spielmännischer Epen ebenso zu folgern wie aus der Verlagerung des Interesses vom tragisch endenden Brautraub auf die Werbung und aus dem von Curschmann entscheidend geförderten Verständnis der Spielmannsepen als Gestaltungen der neuaufkommenden Minneproblematik.

Wenn es richtig ist, daß in dem vermuteten spielmännischen

Hildeepos die Schilderung der Schlacht auf dem Wülpensand herausragte, wie es die Zitate im ›Alexanderlied‹ und ›Rolandslied‹ nahelegen, dann ist es sicher kein Zufall, daß der Dichter der ›Kudrun‹ gerade an der entsprechenden Stelle in seinem Werk, also im Verlauf der Schlachtschilderung, auf seine Quelle verweist:

Ez was ein michel wunder, als diu buoch uns kunt tuont,
swie starc Hagene waere, daz vor im ie gestuont
der Hegelinge herre. do si begunden dringen
mit strite zuo einander, man horte guoter helme vil erklingen
(Str. 505)

Die letzte hier zu analysierende Sagenstufe stellt das Kudrunepos des 13. Jhs dar, dessen sagengeschichtlicher Gehalt eingehender zu besprechen ist (vgl. S. 55 ff.). An dieser Stelle gilt es lediglich, seinen Standort innerhalb der Entwicklung der Hildesage zu klären.

Er ist nicht wesentlich von der des spielmännischen Hilde-Epos des 12. Jhs verschieden. Der in der ›Kudrun‹ hervortretenden versöhnlichen Tendenz entsprechend, ist der alte tragische Ausgang der Sage noch weiter als in jenem erschließbaren Epos des 12. Jhs gemildert worden; denn die höfische Dichtung läßt Hilde und Hetel gemeinsam das Leben Hagens retten, Hagen aber seiner Tochter die Auflehnung gegen seine väterliche Autorität verzeihen.

Andere Änderungen ergeben sich durch die Unterordnung der Hilde- unter die Kudrunfabel. So muß der alte Höhepunkt der Hildesage, die Schlacht auf dem Wülpensand, ihren Namen an den unglücklichen Rettungsversuch abgeben, den Hetel zur Befreiung seiner Tochter Kudrun unternimmt.

Eine Skizze soll die stufenweise Entwicklung der Hildesage graphisch sichtbar machen, wobei darauf hingewiesen werden muß, daß nur die gröbsten Unterschiede erfaßt werden können und die Möglichkeit des Bestehens von Zwischengliedern und Parallelfassungen immer eingerechnet werden soll.

1. Sagenstufe	×	altgerm. Hildelied des 4. Jhs (Ostseeraum)
2. Sagenstufe	×	spielmännisches Hildeepos des 12. Jhs (rhein.?)
3. Sagenstufe	×	Kudrunepos, Hildeteil

Die Hildesage blieb in ihrem Kern, dem Konflikt zwischen Sippenbindung und personaler Liebesbindung, unverändert. Wesentliche Neuerungen ergaben sich lediglich durch die Beseitigung des ursprünglich tragischen Ausganges, die nötig wurde, weil das Verständnis für die Haltung des Vaters um so mehr schwinden mußte, je stärker dem Mittelalter die persönliche Liebesbindung – zumindest in der Literatur – als berechtigt und unantastbar galt und je mehr demgegenüber das Verständnis für die alles beherrschende Kraft der Sippenbindung schwand. Es ist im Grunde derselbe Vorgang, der die Entwicklung der Sage vom Burgundenuntergang bestimmte, deren entscheidende Umgestaltung in der Beseitigung der Sippenverbundenheit der Heldin (= Rache Kriemhilds für den Tod der Brüder am Ehemann) zugunsten ihrer über den Tod hinaus bestehenden persönlichen Liebesbindung an Siegfried liegt (= Rache für Siegfrieds Tod an den Brüdern).

2. *Kudrunsage*

Während die Entwicklung der Hildesage von der Forschung im großen und ganzen übereinstimmend gesehen wird, weichen die Meinungen über die Kudrunsage wesentlich voneinander ab. Zwei Grundthesen stehen einander gegenüber: Die einen glauben, daß die Kudrunsage aus der Hildesage abgeleitet worden sei, die anderen, daß sie einen selbständigen Ursprung habe.

Barend Sijmons hat die erste der beiden Thesen ausführlich in der Einleitung zu seiner Ausgabe begründet (Einleitung, S. XLIff.). Für ihn hat der Kudrunteil so bedeutende Anleihen an den Hildeteil gemacht, daß er daraus schließt, der Kudrunteil sei jüngste Sagenschicht, vom Dichter des Kudrunepos selbst aus dem Hildeteil „herausgesponnen" und durch andere Dichtungen (Herwigsage, Salman und Morolf, wikingisches Lied von Siegfried von Môrlant) erweitert.

Auch Friedrich Neumann (Verf. Lex., Bd 2, Sp. 976ff.) rät, den Kudrunteil nicht scharf vom Hildeteil zu trennen, weil ihm die Kudrunfabel bei aller Selbständigkeit nicht allein durch Namen mit der Hildefabel verbunden zu sein scheint. Er erwägt, ob sich in der Entführung der Kudrun eine ältere Fassung der Hildesage spiegele und glaubt, daß ein Kudrunlied aus einem Hildeteil abgeleitet wurde, das allerdings schon in einer Fassung existiert haben muß, in der Hetel am Leben blieb, damit er Kudruns Vater werden konnte. Jedenfalls verneint Neumann die Möglichkeit, daß es jemals ein einsträngiges Kudrunlied von der Art des Hildeliedes gegeben habe (Verf. Lex., Bd 2, Sp. 978).

Friedrich Panzer sah in der Geschichte von Kudrun „eine rein persönliche Erfindung des Gudrundichters" (S. 447), der neben dem Apolloniusroman und der Salomosage ein Lied von der wiedergefundenen Schwester (= Südeliballade) für seine Erzählung benutzte. Daneben konnte Panzer die Existenz einer Herwig/Herbort-Sage wahrscheinlich machen, die er sich vor dem 8. Jh. bei den Niederfranken entstanden denkt (S. 440ff.). Auf diesen Ansichten fußend bestritt auch Hermann Schneider in seiner grundlegenden Darstellung der deutschen Heldensage, daß die Kudrunfabel aus altgermanischer Zeit stammen könne; dafür sei sie zu unheroisch und zu weich.

Ähnlich beurteilen B. Boesch (S. IL) und K. Stackmann (S. LXXXII) die Entstehung des Kudrunteils. W. Jungandreas vermutet, daß ein ostflämisches Gudrunepos im 11. Jh. aus einem westflämischen Hildelied abgeleitet wurde. H. Zahn stellt die Kudrunsage in den Umkreis der Sagas und nimmt eine „Gudrunsaga" des 11. Jhs, entstanden im deutsch-dänischen Grenzgebiet, als Grundlage eines niederdeutschen Epos des 12. Jhs an (S. 84ff.).

Es sind aber auch Stimmen laut geworden, die die Andersartigkeit der Kudrun- gegenüber der Hildefabel im Kern und in bestimmenden Zügen betonten und daraus auf ihre ursprüngliche Selbständigkeit schlossen. Das tat vor allem Andreas Heusler. Er machte geltend, daß die Kudrunfabel in ihrem innersten Kern vom Hildestoff abweiche, so daß sie deshalb nicht aus ihm hergeleitet werden könne. Während sich Hilde gegen den Wunsch ihres Vaters entführen läßt und sich also durch eigenen Entschluß aus der Sippenbindung löst, wird Kudrun gegen ihren Willen aus dem Kreis ihrer Verwandten herausgerissen. Daraus entwickelt sich ihr standhaftes Dulden in der Erniedrigung zur Magd im Land ihrer Feinde, die zu ihren Freunden zu machen sie sich weigert. Hildesage und Kudrunsage weisen also völlig verschiedene Gruppierungen der Spieler und Gegenspieler und ebenso einen tief unterschiedenen menschlichen Gehalt auf.

Ingeborg Schröbler gelang es, Stoffelemente im Kudrunteil nachzuweisen, die sich nicht im Hildeteil finden, was ebenfalls dafür spricht, daß beide Sagen von Anfang an selbständig nebeneinander bestanden.

Ebenso stellte H. W. J. Kroes die normannisch-wikingischen

Züge des Kudrunteils in den Mittelpunkt und nahm von dort ausgehend an, daß der Stoff in einem Lied des 11. Jhs geformt wurde. Es berichtete noch nichts von einer Werbung um Kudrun, sondern nur von einem Überfall Sîvrits von Môrlant und einem anderen des Hartmut, von dem Kudrun geraubt wurde.

Jede Beschäftigung mit dem mittelhochdeutschen Kudrunepos zwingt zu einer Entscheidung in dieser Streitfrage; denn mhd. Heldendichtung ist so sehr Kunst der Variation, der leichten oder überraschenden Veränderung eines Motivs oder einer Motivkette, des Schwebens zwischen treuer Bewahrung des Überkommenen und geschickter Angleichung an neue Ideen und Lebensformen, daß jedes mhd. Heldenepos von den Vorstufen seiner Sage her ebenso gesehen werden muß wie in seiner Eigenständigkeit als Ausdruck des jeweiligen Dichters und seiner Zeit.

Es ist daher für die Interpretation des Kudrunteils nicht unwichtig, ob der Dichter einen germanischen Sagenstoff bewahrte und umformte, tradierend ihn mit neuem Leben versehend, oder ob der Hauptteil des Werkes (= zwei Drittel des Ganzen!) teils – an den Hildeteil angelehnte – autonome Schöpfung des Dichters des 13. Jhs ist, teils auf die Anregungen eines balladesken Stoffes der Zeit und andere weiter abliegende Quellen zurückgeht. Wäre diese letzte These richtig, so ergäbe sich ein interessantes literarhistorisches Phänomen; denn die Epik des 13. Jhs – ob Artusroman oder Heldendichtung – gestaltet stets einen in einer Quelle vorgegebenen und meist in langer Tradition gewachsenen Stoff. Sollte der Dichter der ›Kudrun‹ hierin anders verfahren sein, so müßte die Interpretation seines Werkes wohl auch sonst einen von mittelalterlicher Konvention unberührten Verfasser erkennen lassen.

Allein von diesen allgemein literarhistorischen Überlegungen her scheint der Ansatz einer abgeschlossen gestalteten Quelle, die dem Kudrunteil zugrunde lag, vertretbar zu sein. In der Forschung der Gegenwart mehren sich denn auch die Stimmen, die für eine solche Quelle eintreten. Wieder gibt Lamprechts ›Alexander‹ einen wichtigen Hinweis:

> iedoch ne mohte nechain sin,
> noch Herewich noch Wolfwin,
> der der ie gevaht volcwich
> dem chunige Alexander gelich. (1325–1328)

Die Nennung zweier Personen, die in Name und ›Kämpfertum‹ an die beiden Befreier Kudruns im Epos des 13. Jhs erinnern, folgt unmittelbar auf die o. S. 14 zitierte Anspielung auf die Hildedichtung. Das führt zu dem Schluß, daß es neben einer Hildedichtung – vielleicht schon mit dieser verbunden – eine Dichtung gab, die Ähnliches wie der Kudrunteil berichtete.

Leider sagt die Lamprechtstelle nichts über den sonstigen Inhalt dieser vermuteten Dichtung aus. Früher betrachtete man sie gern als Zeugnis für ein Herwig-Epos (Panzer, Frings, Hagenmeyer) und brachte sie so in Zusammenhang mit den Herwig-Erzählungen im ›Biterolf‹ und in der ›Thidrekssaga‹ (vgl. S. 20). Ob Andreas Heusler letztlich recht behalten wird mit der These, daß es keine selbständige Herwigsage gegeben habe, müßte wohl in erneuten Untersuchungen zu klären versucht werden. Neuerdings glaubt man, die Umrisse der von Lamprecht bezeugten Quelle des Kudrunteils in Ariosts Erzählung von Bireno und Olympia wiedererkennen zu können (Grüters, Carles). Es wiederholt sich also für die Kudrunsage, was für die Hildesage durch die Entdeckung des spätmittelalterlichen ›Dukus Horant‹ veranlaßt wurde.

Hinsichtlich einer noch weiter zurückverfolgbaren Geschichte der Kudrunsage begegnet man in der gegenwärtigen Forschung allgemeiner Resignation. Um Gründe dafür zu finden und die Diskussion darüber eventuell neu zu beleben, seien einige grundsätzliche Erörterungen erlaubt, bevor die in diesem Zusammenhang wichtigen Texte betrachtet werden.

Da immer wieder behauptet wird, es gäbe für die Kudrunsage keine ähnlichen Bezeugungen wie für die Hildesage, soll nach Kriterien gefragt werden, die festzustellen ermöglichen, ob ein bestimmtes mittelalterliches Werk einen bestimmten Stoff (= Sage) verwendet, so daß es im Zusammenhang eines bestimmten Sagenkreises betrachtet werden muß oder nicht.

Die Erfahrung mit gut, d.h. hier mit eindeutig parallelüberlieferten Sagen zeigt, daß folgende Kriterien bestehen:

1. Die Namen der Hauptgestalten müssen übereinstimmen oder ähnlich sein (vgl. mhd. *Sivrit* – an. *Sigurðr,* mhd. *Hagene* – an. *Högni*).
2. Die Hauptgestalten müssen ähnliche Funktionen und Konstellationen innerhalb der Handlung aufweisen (vgl. Funktion der Rächerin (an Nahestehenden) mhd. *Kriemhild* – an. *Gudrun*).
3. Thema und davon abhängiges Handlungsgefüge (= Kombination und Funktion von Handlungsteilen) müssen im Kern

gleich, in der variierenden Motivation ähnlich sein (Untergang der Nibelungen = Rachefabel, im ›Nibelungenlied‹: vollzogen von einer Frau an ihrer Sippe, in der ›Atlakvida‹: vollzogen von einer Frau an ihrem Ehemann).

4. Schließlich begegnen oft ähnliche Schauplätze oder geogr. Reminiszenzen (vgl. ›Atlakvida‹ „des Rheines Rotgebirg“ – ›Nibelungenlied‹: Worms).

Die Beweiskraft der genannten Kriterien ist verschieden groß. Im Idealfall stimmen alle vier zusammen. Ist das nicht der Fall, so kommt der Ähnlichkeit der Hauptgestalten in Namen und Funktion das größte Gewicht zu (vgl. Nibelungengeschichte des Anhangs zum Heldenbuch). Das dritte Kriterium allein oder vereint mit dem zweiten kann nicht zwingend sein, weil die Handlungsführung innerhalb der Entwicklung einer Sage durch Erweiterungen und neue Motivierungen und Nuancierungen verändert werden kann, wohl sogar nach dem, was an mittelalterlicher Heldendichtung abgelesen werden kann, verändert werden muß. Es ist daher unmöglich, über die ursprüngliche Gestalt einer Sage mehr als nur Vermutungen zu äußern, wenn keine Vorstufen überliefert sind.

Daß den einzelnen „überindividuellen Erzählformen“ (Schema, Motiv, Formel), aus denen mittelalterliche Dichter ihre Handlungsteile formen, keine Beweiskraft für die Ähnlichkeit von Gesamtdichtungen zukommen kann, ist inzwischen allgemein anerkannt.

Das vierte Kriterium, die Ähnlichkeit von Schauplätzen etc. kann für sich allein nie Beweiskraft besitzen und wird nur stützend wirken können, da es vom logischen Zusammenhang in Thema und Handlungsführung am wenigsten berührt ist.

Die crux für die Erforschung der Kudrunsage liegt darin, daß keine andere mittelalterliche Dichtung überliefert ist, von der man allen vier genannten Kriterien nach mit Sicherheit behaupten kann, sie habe die Kudrunsage als Stoff verwendet. Stets fehlt das so besonders beweiskräftige Indiz der Übereinstimmung von Namen und Funktion der Hauptgestalt(en). Das gilt allerdings nur, wenn die ›Kudrun‹ als einziger Bezugspunkt gewählt wird.

Man ist also zunächst auf die Ähnlichkeit in Thema und Handlungsführung angewiesen und muß sich bei der Beschäftigung mit diesem Problem infolgedessen von vornherein darüber klar sein, daß damit der Evidenzgrad herabgesetzt ist gegenüber Sagen, die wenigstens in einigen von mehreren

Quellen anhand aller obengenannter Kriterien identifizierbar sind.

Das Thema der ›Kudrun‹ fordert die Handlungsteile: ‚Verschleppung – Gefangenschaft – Befreiung einer Frau'. Ein vierter davorgesetzter Handlungsteil ist zu den genannten in logische Abhängigkeit gebracht: eine Werbungsgeschichte. In erfolgreiche und erfolglose Werbung aufgespalten, läßt sie den abgewiesenen Freier zum Movens der Handlungsteile ‚Verschleppung – Gefangenschaft', den erkorenen Freier zum Movens des Handlungsteils ‚Befreiung' werden, wobei die Treue der Gefangenen zu ihm zugleich den Handlungsteil ‚Gefangenschaft' wesentlich bestimmt. Ob diese thematische Nuancierung und Handlungsmotivation durch ‚verschmähte und bewahrte Liebe' schon in älteren Sagenfassungen vorlag oder nicht, läßt sich allein von der ›Kudrun‹ aus nicht entscheiden. Sie für die älteste Fassung der Sage zu postulieren ist unzulässig, weil damit der Gesichtspunkt außer acht gelassen wird, daß Sagen verändert und erweitert werden können.

Die im folgenden zu beschreibenden Sagenfassungen weichen von der Fassung der ›Kudrun‹ mehr oder minder stark ab. Sie lassen aber alle die Handlungsteile ‚Verschleppung – Gefangenschaft', meist auch als dritten Handlungsteil die ‚Befreiung' einer Frau erkennen und sind hinsichtlich der Funktionen der Hauptgestalten und in gewissem Sinne auch der Namen sowie der Schauplätze der ›Kudrun‹ ähnlich, so daß sie m.E. mit Recht als Zeugen der Kudrunsage in Anspruch genommen wurden.

Quelle	Entstehungszeit	Name der weiblichen Hauptgestalt
1. Dichtungen über den Kampf in der Finnsburg (›Beowulf‹, ›Finnsburglied‹)	aufgeschr. im 10. Jh. entstanden im 7./8. Jh.	Hildburg
2. Erstes Gudrunlied der ›Edda‹	aufgeschr. im 13. Jh., entstanden spätestens im 12. Jh.	Herborg
3. Erzählung von Arneid und Ketil in der ›Landnamabok‹ (IV, 1)	entstanden im 12. Jh.	Arneid

Quelle	Entstehungs-zeit	Name der weiblichen Hauptgestalt
4. Erzählung von Arneid und Ketil in der ›Droplaugarsonasaga‹ (cap. 1)	entstanden im 12. Jh.	Arneid
5. ›Waltharius‹	gedichtet im 9. Jh.	Hildegund
6. Erzählung von Waltari und Hildegund in der ›Thidrekssaga‹ (cap. 336; Übs. S. 281 ff.)	aufgeschr. im 13. Jh.	Hildegund
7. Erzählung von Apollonius und Herborg in der ›Thidrekssaga‹ (cap. 337, Übs. S. 284 ff.)	aufgeschr. im 13. Jh.	Herborg
8. Erzählung von Herburt und Hilde in der ›Thidrekssaga‹ (cap. 322; Übs. S. 272 ff.)	aufgeschr. im 13. Jh.	Hilde
9. Herbort-Erzählung in ›Biterolf und Dietleib‹	aufgeschr. zu Beginn des 16. Jhs., entstanden im 13. Jh.	Hildburg
10. Kudrunteil in der ›Kudrun‹	aufgeschr. zu Beginn des 16. Jhs., entstanden im 13. Jh.	Kudrun
11. Erzählung von Olympia und Bireno in Ariosts »Orlando Furioso«	aufgeschr. 1532	Olympia
12. Erzählung vom Leiden der Jasmin in »1001 Nacht«	aufgeschr. zw. dem 9. und 17. Jh.	Jasmin
13. ›Südeli-Balladen‹	aufgeschr. zw. dem 16. u. 19. Jh., Urform entstanden spätestens im 12. Jh.	Südeli
14. ›Meererin-Balladen‹	aufgeschr. im 19. Jh., Urform entstanden spätestens im 14. Jh.	Meererin
15. Mecklenburgische Erzählung	aufgeschr. im 19. Jh., entstanden im Mittelalter (?)	

Die Aufstellung zeigt, daß mehrere Texte erst lange nach der mutmaßlichen Entstehung aufgezeichnet wurden, wie ja auch die ›Kudrun‹ selbst. Es ist nichts Ungewöhnliches, wenn sich Sagen in mündlicher Tradition jahrhundertelang erhalten. So kann es geschehen, daß auch frühe Fassungen der Sage durch glückliche Umstände bewahrt bleiben, bis sie in viel späterer Zeit schriftlich fixiert werden, wenn sie zur Kenntnis solcher gelangen, die am Altertum interessiert sind.

Die Aufstellung läßt ferner erkennen, daß die Namensform *Kudrun* im Epos des 13. Jhs in dieser ganzen Überlieferung isoliert steht. Andere Namensformen aber sind mehrfach überliefert: Hildburg (in 2 Texten), Herborg (in 2 Texten) Hildegund (in 2 Texten). Diese Namensformen weisen untereinander einen Grad von Ähnlichkeit auf, der die gewohnte Variationsbreite von Namen der Heldensage keineswegs überschreitet. Die Namen *Hild-burg* und *Her-burg* (oder *-borg*) haben dasselbe zweite Namensglied und im ersten denselben Anlaut. Die Namensform *Hildegund* teilt mit dem Namen *Hilde-burg* das erste Glied. Das zweite Glied aber teilt sie mit dem Namen *Kudrun,* der aus *Gund-run* entstanden ist. Die hier besprochenen Namensformen der Hauptheldin in den aufgeführten Dichtungen sind also seltsam miteinander verschränkt und verwandt. Über die anderen, von den genannten weiter abliegenden Namen, wird an anderer Stelle zu reden sein.

Das zweimalige Auftreten des Namens *Hildburg* in diesen Texten, die dem Kudrunteil unseres Epos verwandt sein dürften, wirft ein besonderes Licht auf die Gestalt der Hildburg in der ›Kudrun‹. Sie wird als Königstochter *von Galitzenlant* (Str. 1008) bezeichnet, steht aber in Kudruns Diensten. Sie teilt Kudruns Schicksal und ihre heroische Haltung, erträgt freiwillig die tiefste Demütigung, das Dasein als Wäscherin, wird wie Kudrun nachder Befreiung mit einem König verheiratet. – Diese Doppelung läßt sich am leichtesten als Versuch des Dichters erklären, verschieden benannte Hauptgestalten zweier Quellen nebeneinander in seiner Erzählung bestehen zu lassen. Daraus läßt sich aber folgern, daß die weibliche Hauptgestalt innerhalb dieser Sage nicht vornehmlich *Kudrun* oder *Gudrun* hieß, sondern *Hildburg.* Diese Form des Namens wird für die älteren Sagenfassungen auch deswegen wahrscheinlicher, weil sie mit den Namen der männlichen Hauptgestalten stabt: *Herwig, Hartmuot, (H)luodwig.* Wichtigster Zeuge für das Bestehen solcher Sagenfassungen, in denen die Heldin nicht *Kudrun* oder *Gudrun* heißt, dürfte der ›Biterolf‹ sein, der übereinstimmend mit der ›Kudrun‹ die männlichen Hauptgestalten *Hartmut* und *Ludwig* nennt und dessen *Herburt* sicher nur Variation des Namens *Herwich* darstellt, der aber die weibliche Hauptgestalt nicht *Kudrun* sondern *Hildburg* nennt.

Mithin dürfte in manchen Sagenfassungen die weibliche Hauptgestalt *Hildburg* geheißen haben. Daher soll im folgenden die Bezeichnung ›Hildburg/Kudrunsage‹ angewendet werden, um diesen wichtigen Tatbestand stets gegenwärtig zu halten.

Die anderen, stark von den besprochenen abweichenden Namen der Heldin sind aus dem jeweiligen literarischen Umkreis, in den die Sage gestellt wurde, frei erfunden. (Über die Namen Südeli und Meererin vgl. S. 43 f.)

Die genannten Texte sollen nun nach den verschiedenen Formen der Handlungsführung zusammengefaßt und in ihrem Verhältnis zueinander kurz besprochen werden. Auf diese Weise werden sich deutlich unterschiedene Fassungen der Sage erkennen lassen, die leider nicht im Zusammenhang besprochen werden können, ohne daß mein eigenes Verständnis dieser Zusammenhänge vorausgesetzt wird. Seine Richtigkeit mag im Verlauf der Darstellung mehr oder minder evident werden. Auf jeden Fall bedürfen diese Dinge aber noch gründlicher Untersuchungen.

Die einfachste Gestalt einer Fabel, die der des Kudrunteils unseres Epos vergleichbar ist, begegnet im ›Beowulf‹, dem an dieser Stelle vermutlich ein friesisches Heldenlied vom Kampf in der Finnsburg letztlich zugrunde liegen wird.

Hildeburg, die Frau des Friesenkönigs Finn, verlor bei einem Kampf Sohn und Bruder. Finn schloß Frieden mit den Dänen und teilte mit ihnen Halle und Hochsitz. Der Winter verging; aber der Däne Hengest dachte nicht an Seereisen, sondern nur an die Rache. Das Schwert Lafing wurde ihm in den Schoß gelegt:

..... Da ward die Halle gerötet
von der Feinde Blut. Finn ward erschlagen,
der Herrscher bei den Helden, und Hildburg gefangen.
Der Schildungen Schar zu den Schiffen brachte
vollgemeßne Fahrnis des Volkskönigs,
soviel sie in Finnsburg finden konnten,
kostbare Kleinode. Über die Kämme der Wogen
führten sie die fürstliche Frau zu den Dänen,
leiteten sie ans Land. (v. 1151–1159).

Hildburg, die Frau des Königs Finn, verliert beim Kampf in des Königs eigener Halle, also bei einem Überfall, ihren Sohn, Bruder und schließlich auch Mann. Sie wird als Gefangene über das Meer ins Land der Dänen verschleppt. – Das

›Finnsburglied‹ gibt ergänzend die Bestätigung, daß der Kampf durch einen Überfall verursacht wurde. Der im ›Beowulf‹ berichtete Handlungsteil aber fehlt. Auffallend sind in diesem Text die stabenden Namen *Gudhere, Gudlaf,* zu denen *Gudrun* passen würde.

Diese sehr alte(n) Quelle(n) bieten also nur die Handlungsteile: ‚Überfall seefahrender Feinde' (dabei Tod der männlichen Sippenangehörigen) – ‚Verschleppung der Königin über das Meer'. Leidenszeit in der Gefangenschaft und Befreiung fehlen. Ob sie in der Quelle des ›Beowulf‹ vorhanden waren oder nicht, läßt sich nicht entscheiden. Daher läßt sich auch nicht erkennen, ob dieser Sagenfassung schon irgendeine Liebesmotivation zukam. Das Auftreten und die Kombination von Handlungsteilen, die aus der ›Kudrun‹ wohlbekannt sind, lassen aber den Schluß zu, daß hier derselbe Stoff verarbeitet wurde. Name und Funktion der Hauptgestalt sowie die Meeresszenerie bestätigen das.

Eine altnordische Dichtung überliefert ähnlich bruckstückhaft eine verwandte Sagenfassung. Im ersten Gudrunlied der Edda erzählt eine Fürstin namens *Herborg* ihr Schicksal (Str. 6–10):

6. Da sprach Herborg,
die Hunenfürstin:
„Ich hab noch herbern
Harm zu sagen:
sieben Söhne
im Südlande,
mein Mann als achter,
mußten fallen.

7. Vater und Mutter,
vier Brüder
waren im Wasser
des Windes Raub;
wider den Bord
die Brandung schlug.

8. Selbst besorgte ich,
Selbst schmückte ich,
selbst begrub ich
die Gesippen mein.
Alles litt ich
in einem Sommer;
mir konnte keiner
den Kummer lindern.

9. Vom Feind ergriffen,
gefangen im Krieg,
sollt ich im selben
Sommer werden.
Schmücken mußt ich,
die Schuh ihr binden,
des Edlings Frau
alle Tage.

10. Sie schalt mich oft
aus Eifersucht
und ließ mich harte
Hiebe spüren.
Besseren Herrn
hatt ich niemals,
doch nie so böse
Gebieterin."

Die Handlungsteile: ‚Verlust des Mannes und der Söhne im Kampf' – ‚Leiden der Fürstin in der Gefangenschaft'. Überfall und Verschleppung per Schiff sind nicht erkennbar, wohl aber deutet Str. 7 auf ein Küstengebiet als Ort der Handlung. Der Name der Heldin, mehr aber noch ihre Erniedrigung zur Dienstmagd durch die Fürstin, der sie in der Gefangenschaft unterstellt worden ist, haben in der ›Kudrun‹ deutliche Parallelen. Interessant ist in Str. 10 der Hinweis auf die Eifersucht, aus der heraus die Fürstin sie peinigt, sowie die Aussage „besseren Herrn hatt ich niemals". Deutet sich hier schon an, daß die Leiden in der Gefangenschaft durch die Liebe eines Mannes zu der Gefangenen verursacht wurden?

›Beowulf‹ zeigt die einfachste Gestalt der Sage. Den Handlungsteilen: ‚Überfall' – ‚Verschleppung einer Frau', deren männliche Angehörigen bei diesem Überfall getötet wurden, folgt noch nicht die Ausgestaltung der Leiden in der Gefangenschaft oder gar die Befreiung. Das Hauptgewicht der Dichtung liegt noch auf der Darstellung des Kampfes und Unterganges der Königssippe. Das zeigen ›Beowulf‹ und ›Finnsburglied‹ deutlich. Und diesen Inhalt dürfen wir einem sehr alten germanischen Heldenlied wohl zutrauen.

Jünger mutet die Fassung an, die in den Herborgstrophen des 1. Gudrunliedes umrißhaft erkennbar wird. Die Beschreibung des Kampfes ist ersetzt durch breites Aufzählen der Verluste, die Krieg und Schiffsunfälle der Fürstin bereiteten. Ihre eigene Gefangennahme und Verschleppung wird übergangen zugunsten ausgeweiteter Beschreibung der leidvollen Erlebnisse in der Gefangenschaft, die vielleicht auch schon durch die Liebe des Entführers zu seiner Gefangenen geprägt war. Die Befreiung erscheint nicht als eigener Handlungsteil, deshalb soll diese Fabel der Herborgstrophen als eigene Fassung gewertet werden, obwohl sie durch die intensive Darstellung der Leiden in der Gefangenschaft den Dichtungen mit einer Sagenfassung recht ähnlich ist, die als nächste zu besprechen ist.

Beide Sagenformen werden im Küstengebiet der Nordsee entstanden sein. Darauf deutet die in beiden Dichtungen so einprägsam auftauchende Meeresszenerie. Der Finnburgkampf legt ferner die Vermutung nahe, daß das bei den Friesen geschah – die späteren Fassungen der Sage, so auch die ›Kudrun‹, bestätigen Friesland als Schauplatz und Entstehungsraum vieler Fassungen durchaus. Naheliegend ist es, dabei an die friesischen Stammlande des südlichen Küstengebietes zu denken, nicht an das erst nach Abwanderung der Angeln und Sachsen besiedelte Nord-Friesland; da die Angeln und Sachsen die fertig gestaltete – vielleicht sogar schon von Dänen umgestaltete – Liedfabel mit hinüber nach England nahmen. Für das südlich der Nordsee gelegene Friesland spricht auch das 1. Gudrunlied, in dem Herborg als Hunenfürstin bezeichnet wird, deren Söhne und Mann „im Südland“ fielen (wobei die Bedeutung von Hunaland hier unklar bleibt, da sowohl an den südlich der Nordsee gelegenen westfälischen Raum gedacht werden kann, wie auch an Hunnenland = südliches Land). Diese Bezeichnung deutet – wie die Namen: Zuidersee, Sudenburg, Süderode, Sauerland (< *sūđarland*) beweisen – ganz allgemein auf das südlich der Nordsee sich erstreckende Gebiet der germanischen Stammsitze. Das macht auch die Seefahrt mit der Gefangenen besonders eindrucksvoll; denn diese wird dann quer über die Nordsee von Friesland nach Dänemark verschleppt. Wieder bestätigt die ›Kudrun‹ mit ihrer späteren Sagenfassung diesen Ansatz. Dort wird zwar vermutlich der umgekehrte (Nordfriesland > Normandie) aber doch eben jener weite Seeweg beschrieben (vgl. S. 43ff.).

Die Entstehung des ›Beowulf‹ reicht vermutlich ins 7./8. Jh. zurück. Wenn die Sage von den Angeln und Sachsen bereits zu Beginn der Abwanderung in die neue Heimat mit hinübergenommen wurde, dann darf sogar das 3./4. Jh. als Entstehungszeit eines germanischen Heldenliedes vom Schicksal der friesischen Königin vermutet werden. – Für die wesentlich jünger wirkende Fassung der Herborg-Strophen läßt sich eine relativ frühe Entstehungszeit aus denselben Gründen und ebenso vage wie für die dritte Fassung gewinnen (vgl. S. 34).

In der Mitte des 12. Jhs entstand die ›Droplaugarsonasaga‹, in der folgendes berichtet wird:

Ketil Thrym besuchte einen angesehenen Mann namens Vethorm. Er fand unter dessen Gesinde zwei unbekannte Frauen, von denen die jüngere alle Arbeit verrichtete, zu der sie imstande war, die ältere beschränkte sich aufs Nähen. Die jüngere Frau arbeitete gut, aber es wurde ihr übel gelohnt. Sie weinte oft. Das tat dem Ketil leid.

Eines Tages folgte Ketil ihr als sie zum Fluß ging und dort zuerst Wäsche wusch, dann aber auch ihr langes, schönes Haar. Ketil fragte sie, wie sie heiße und aus welchem Geschlecht sie stamme. Sie antwortete, daß ihr Name Arneid sei und daß ihr Vater Asbiorn geheißen habe. Er sei Herrscher über die Hebriden gewesen. Eines Tages sei Vethorm mit seinen Brüdern und achtzehn Schiffen gekommen und habe dort geheert. Sie seien des Nachts gekommen und hätten das Gehöft mit allen Männern darin verbrannt. Die Frauen hätten das brennende Gehöft verlassen dürfen und seien verschleppt und als Sklavinnen verkauft worden. Vethorm selbst habe Arneid und ihre Mutter Sigrid mit sich genommen.

Ketil kaufte dem Vethorm die Arneid ab, so daß sie nicht mehr zu arbeiten brauchte. Im Sommer brach er nach Island auf. Arneid führte ihn bei der Landung in einer Bucht zu einer Schatzkiste. Er machte das Angebot, sie samt Schatz zu ihren Verwandten zu bringen. Sie beschloß aber bei ihm zu bleiben. Nach der Ankunft auf Island heirateten sie. (Der Bericht in der Landnama ist recht ähnlich, jedoch viel knapper und braucht hier nicht ausgewertet zu werden.)

Folgende Handlungsteile lassen sich erkennen: ‚Überfall seefahrender Feinde und Tod der männlichen Angehörigen' – ‚Verschleppung der Frauen' – ‚Gefangenschaft mit Erniedrigung zur Magd' – ‚Befreiung durch den späteren Ehemann' (wichtige Einzelmotive: Zwiegespräch mit dem Befreier beim Waschen am Fluß, Loskaufen, Schatzfund, Seefahrt mit dem Befreier, Hochzeit).

Besonders interessant ist ein zunächst unwichtig erscheinender Zug dieser Erzählung: die Heldin ist gegenüber den bisher behandelten Dichtungen verjüngt. Sie ist nicht vor der Gefangenschaft schon verheiratet, verliert bei dem Überfall nicht ihren Ehemann, sondern ihren Vater. Die Zeichnung der Hauptheldin in der zweiten Fassung dürfte sich hier in der Gestalt der Mutter erhalten haben, die damit wieder ein Beispiel für Motivverdoppelung zwecks Bewahrung eines Elements einer anderen Fassung ist.

Da die Heldin nun als junges Mädchen erscheint, kann das Liebesmotiv zur Entfaltung gelangen. In der ›Droplaugarsonasaga‹ ist die Kombination von Werbung und Befreiung nur angedeutet. Andere, wesentlich jüngere Dichtungen greifen sie begehrlich auf zu effektvoller Gestaltung.

Es handelt sich um Balladen, die wir nach dem Namen der Heldin in einer der vielen verschiedenen Redaktionen als ›Südeli-Balladen‹ bezeichnen. Für die älteste Fassung dieser Balladen läßt sich folgender Inhalt erkennen:

Eine Königstochter wird ihren Eltern in frühester Jugend entführt. Sie wächst bei einer Frau heran, die sie übel behandelt und Magddienste verrichten läßt, von denen der schlimmste das Waschen am Meeresstrand, Fluß, Bach oder Brunnen ist. Eines Tages trifft sie ein fremder Ritter bei der Arbeit. Ihre Schönheit entzückt ihn so, daß er um ihre Liebe wirbt und ihr Gold und Geschenke bietet. Sie jedoch weist ihn ab. Daraus entwickelt sich ein Gespräch, in dem sie ihre Geschichte erzählt und ihre Angehörigen nennt. Dabei begreift der Fremde, daß seine Schwester vor ihm steht. Er nimmt sie mit sich (nachdem er die Peinigerin des Mädchens durch den Tod bestraft hat), und zu Hause empfängt die Mutter voller Freude die lange Verlorene.

Hier sind die kriegerischen Handlungsteile, die in der ›Droplaugarsonasaga‹, wiewohl als nachgeholte Exposition gestaltet, noch von großem Interesse sind, ganz aufgegeben. Das Schicksal der Heldin wird zu einem rein privaten umgeformt. Stärker als die Leiden in der Gefangenschaft tritt die Ablehnung hervor, die die Heldin dem Liebeswerben eines jungen Mannes entgegenbringt. In dem damit verbundenen Gespräch des Paares erfolgt die Entdeckung und darauf die Befreiung der Schwester durch den Bruder.

Eine andere Gruppe von Balladen berichtet folgendes:

Früh am Morgen steht die schöne junge Meererin am Strand, um die Wäsche zu waschen. Da taucht ein Boot auf, in dem ein schöner Herr sitzt. Er spricht die Frau mit dem Namen Meererin an, sie verneint, daß ihr dieser Name zukomme, er wiederholt ihn, reicht ihr einen Ring und nimmt sie in seinem Boot mit fort übers Meer in sein Land, wo sie fortan als seine Frau lebt.

Diese Erzählung steht der der ›Droplaugarsonasaga‹ näher als den ›Südeliballaden‹. Sie ist völlig auf die Befreiungsszene konzentriert. Der Handlungsteil ‚Leiden in der Gefangenschaft' ist auf das Motiv ‚Waschen am Morgen' eingeschränkt, ohne daß auch nur angedeutet wird, wie es zu dieser Situation kam. Die Erniedrigung der Frau wird allenfalls erkennbar aus der verschämten Abweisung, sie sei nicht die Meererin sondern nur die Wäscherin. Werbung und Befreiung sind hier ähnlich wie in der Droplaugarsonasaga kombiniert, doch könnte es sein, daß die Meererin schon vor ihrem Wäscherinnendasein die Braut oder Gemahlin ihres Befreiers war.

Die Erzählungen der ›Droplaugarsonasaga‹ (und der ›Landnama‹), der ›Südeliballaden‹ und der ›Meererinballaden‹ repräsentieren eine Sagenfassung, in der sich das Interesse auf die Darstellung der Befreiung aus der Erniedrigung in der Gefangenschaft konzentriert. Die urtümlichste Form dieser Fassung tritt uns offensichtlich in den Sagas entgegen. Die Handlungsteile ‚Überfall', ‚Verschleppung der Frauen', ‚Leiden der Gefangenen' wären so recht das, was man sich unter einem Lied, das einen wikingischen Überfall schildert, vorstellen kann. Haben wir hier den Widerschein eines oft vermuteten niederfränkischen ›Hildburg/Kudrunliedes‹ vor uns?

Den Schritt vom germanischen Heldenlied zur Ballade kann man an diesem Stoff beobachten, wenn man sich den

›Südeli-‹ und ›Meererinballaden‹ zuwendet. Sie weisen typische Balladenmerkmale auf, wie Ausschnittdichtung, Privatisierung, Verbürgerlichung, Neigung zu Formel und Refrain.

Es ist unklar, wann und wo diese Balladen entstanden sind. Der Vergleich mit den Sagas zeigt, daß die Tradition schon im 12. Jh. bestanden haben muß. Wie alt aber die eigentliche Balladenfassung ist, läßt sich nicht sagen. Sie ist jedenfalls vor dem Ende des 14. Jhs entstanden, denn die Gottscheer nahmen diese Balladen bei ihrer Auswanderung mit, die ums Jahr 1400 abgeschlossen war. Die weite Verbreitung der ›Südeliballaden‹ (in spanischen, niederländischen, deutschen, slavischen, skandinavischen, isländischen Fassungen) und das starke Gefälle der Fassungen von solchen, die vornehme königliche Umgebung zeigen, bis zu solchen mit derbem Dirnenmilieu zeigen, daß sich die Umwandlung von Heldenlied zu Südeliballade vermutlich im Laufe mehrerer Jahrhunderte allmählich vollzog.

Eine alte Streitfrage der Kudrunforschung ist, ob die Balladen vom Kudrunepos abhängig sind (so MENENDEZ-PIDAL, BOESCH) oder ob sie einer vom Epos unabhängigen Tradition angehören (JOHN MEIER, PANZER, SCHNEIDER). Auch die Zwischenlösung ist angeboten worden: Südeliballaden lassen sich nicht aus dem Epos herleiten, die Meererinballaden dagegen wohl (KÜBEL). Da die Frage in den umfassenderen Zusammenhang hineingehört, ob Balladen aus Epen abstrahiert sind (so MENENDEZ PIDAL) oder ob sie alte Heldenlieder fortsetzen (SCHNEIDER, JOHN MEIER), sollte ihr wohl auch anhand der hier zusammengestellten Texte erneut in weit ausführlicheren Analysen nachgegangen werden, als es bisher geschehen ist.

Für die Frage nach dem Entstehungsraum der in den erwähnten Sagas und Balladen begegnenden Sagenfassung ist die Meeresszenerie bedeutsam, die sich in vielen und zwar den älteren Balladenfassungen erhalten hat. Das deutet – wie schon gesagt – auf ein Küstengebiet als Entstehungsraum. Das niederfränkisch-holländische bietet sich an.

In der Entwicklung der Balladen scheint sich das zentrale Bild von der Wäscherin, die ihren Befreier trifft, allmählich von realistischer Wirklichkeitsbezogenheit (Waschen am Fluß) zu übersteigerter Aussagegeste (Waschen am Meer) verdichtet zu haben. Ob das wirklich nur, wie *H. Rosenfeld* meint, auf dem Festland geschehen konnte, wo man weder von Salzgehalt noch von Gezeiten als Hinderungsgrund fürs Waschen im Meer wußte, mag dahingestellt bleiben. Für die Frage des Entstehungsraumes der ›Kudrun‹ ist das belanglos, denn das vielgestaltige Nebeneinander der Balladenfassungen läßt ohnedies keine sicheren Rückschlüsse auf die von der ›Kudrun‹ benutzte Quelle zu.

Auch der Name der Heldin, wenigstens in seinen hervorstechendsten Formen, verdient Aufmerksamkeit. Er lautet in den Balladen oft *Südeli* und *Meererin*.

Den Namen *Südeli* möchten wir seinem ursprünglichen Lautstand nach nicht als schweizerische Dialektform erklären, die von *sudeln* (= schmutzige Arbeit verrichten) abgeleitet wurde, sondern als Bildung mit der Wurzel germanisch **sunþ* –, die in den oberdeutschen Mundarten das *n* behielt (daher die Formen *Sondeli, Sondelein*), im Friesischen und Altsächsischen aber vor stimmloser Spirans verlor, so daß *sūþ* entstand. Im Niederländischen wurde *ū* umgelautet, so daß die Namensform *Südeli* ihrer Wurzel nach ebenso niederländisch-friesischen Ursprunges sein dürfte wie das deutsche Wort *Süden, südlich*. Der Name der Heldin ist dieser Interpretation nach etwa als „Süd-Länderin“ zu verstehen, was gut mit der Erwähnung des Südlandes in den Herborgstrophen übereinstimmt.

Die Namensform läßt auf sehr hohes Alter schließen; denn die oberdeutschen Formen mit *n* könnten dafür sprechen, daß die Fassung schon vor dem Einsetzen des angelsächsischen, friesischen, altsächsischen Nasalschwundes nach Oberdeutschland wanderte. Allerdings könnten die *n*-Formen auch bewußt im hochdeutschen Sprachgebiet gebildet worden sein, um den Namen verständlich zu machen.

Der Name *Meererin* bedeutet vermutlich, daß seine Trägerin am Meer lebt oder lebte. Das könnte aber auch eine späte Umdeutung des Namens sein, denn in einigen Versionen wird der Befreier als „schwarzer Lorenz“, „schwarzer Mohr“, „schwarzer Meerer“, bezeichnet. Etwas ganz ähnlich Sinnloses kennt die ›Kudrun‹, in der *Sîvrit von Môrlant* an einigen Stellen als Mohrenkönig erscheint. Man hat längst erkannt, daß dazu der Name *Môrlant* den Anlaß gab. Parallel hierzu kann man annehmen, daß schon in den Meererin-Balladen ein Herr von Moorland auftrat, der auch als *Moerer* bezeichnet wurde und dem – durch Mißdeutung seines Namens – die schwarze Hautfarbe eines Mohren zugesprochen wurde. Wir deuten den Namen *Meererin* also als Entstellung aus *Moererin,* d. h. Frau des *Moerers,* also des Herrn von Moorland.

Übrigens liegt ein entscheidender Unterschied von ›Kudrun‹ und ›Meererinballaden‹ darin, daß der *Moerer* in der Ballade die männliche Hauptrolle des Befreiers spielt, in der ›Kudrun‹ aber lediglich eine Nebenrolle, die ihn in den vergleichbaren Szenen des Epos gar nicht auftauchen läßt. Daher ist es m.E. unmöglich, die ›Meererinballaden‹ aus dem Kudrunepos abzuleiten.

Eine vierte Sagenfassung tritt uns in Dichtungen entgegen, die auf den ersten Blick mit einer Kudrundichtung nichts gemein zu haben scheinen.

Im ›Waltharius‹, dem lateinischen Epos des 9. Jhs, wird erzählt, daß Hildegund, um den drohenden Überfall eines hunnischen Heeres auf das Reich ihres Vaters Hererich abzuwenden, als Geisel in das Land der Feinde gebracht wird. Sie wächst am Hunnenhof auf, umgeben von der liebevollen Fürsorge Attilas, der sie nicht wie eine Gefangene sondern wie eine Pflegetochter behandelt. Mit ihr gemeinsam wurde Walther von Aquitanien, ihr in frühester Kindheit anverlobt, als Geisel an den Hunnenhof geschickt. Eines Tages fordert er sie zur Flucht auf. Sie fliehen unter Mitnahme von Waffen und Schätzen, doch die Flucht wird entdeckt. Das Paar wird von den Verfolgern eingeholt und Walther muß sich schwerem Kampf stellen. Es gelingt ihm, sich gegen die Übermacht zu behaupten und mit der Braut Aquitanien zu erreichen, wo die Hochzeit gefeiert wird. (Ähnlich berichtet die ›Thidrekssaga‹, cap. 336.)

Die Handlungsteile ‚Überfall – Gefangenschaft – Befreiung' sind auch hier noch trotz mancher Umgestaltung in Einzelheiten erkennbar. Der Name *Hildegund* für die Heldin und der Name *Hererich* verweisen darüber hinaus auf die ›Hildburg/Kudrunsage‹. Denn *Hererich* ist vermutlich eine frühe Form oder eine Umgestaltung des Namens *Herwich,* den der Befreier und Verlobte Kudruns im Kudrunepos trägt. Vermutlich hat der Dichter des ›Waltharius‹ den Helden *Hererich* in der Rolle des Verlobten und Befreiers der Hildegund durch *Waltharius* ersetzt, als er die Sage von *Hildegunds* Befreiung durch *Hererich* mit der Walthersage verband. Das Postulat einer solchen Sage von Hildegunds Befreiung (durch Hererich) ergibt sich, wenn man die Dichtungen der dritten Sagenfassung, etwa die Erzählung der Droplaugarsonasaga mit den gleich zu besprechenden Dichtungen von ‚Hildburgs Entführung durch Herbort' vergleicht. Zwischen beiden Versionen nimmt die aus dem Waltharius zu abstrahierende Sage von Hildegunds Befreiung eine Mittelstellung ein. Die Befreiung ist schon als Flucht gestaltet, was sich zwanglos aus der dritten Sagenfassung entwickeln läßt, sie zeigt aber noch nicht die so stark ins innerste Gefüge der ›Hildburg/Kudrunsage‹ eingreifende Umgestaltung zur Brautwerbungssage.

Diese ist in anderen Versionen dieser Sagen-Fassung erfolgt. In ›Biterolf und Dietleib‹ berichtet *Herburt* mit folgenden Worten von seiner gefahrvollen Brauterwerbung:

,wie ich von Ormanie reit,
und wie min ellen da erstreit
des künic Ludewiges kint.
ja fuorte ich die maget sint
uz Ormanie riche
vil gewalticliche,
da mich hiete bestan
Hartmuot unde sine man
und Ludewic, der vater sin.
ich und ouch daz magedin,
wir heten nieman mere
die Ludewic der here
nie kunde betwingen;
dem muose misselingen
von min einiges hant.
also reit ich über lant,
und hete wunden doch min lip.
....

do ich min frouwen über lant
fuorte wan einiger man,
ze stete randen si mich an.
waere ez in also do komen,
si heten gerne mir benomen
Hildeburgen die vil richen.
sit liezens in entwichen
der ir vil grozen übermuot.
ich braht si,' sprach der helt guot,
,ungevangen durch daz lant;
daz weiz wol meister Hildebrant,
des ist diu frouwe mine
noch hie bi mir ze Rine.'

(v. 6461–6510)

Thema und Handlungsführung sind in dieser Version nicht mehr mit dem Kudrunteil unseres Epos verwandt. Die Handlungsteile ,Überfall, Verschleppung, Gefangenschaft' sind nicht erkennbar, aber auch nicht zu erwarten, da die Konstellation der Personen und das Thema anders als in allen bisher besprochenen Versionen sind. *Hildburg* ist die Tochter König *Ludwigs von Ormanie, Hartmut* ihr Bruder. Sie wird nicht als Gefangene in die Freiheit geführt, sondern läßt sich von einem Mann gegen den Willen ihres Vaters entführen. Nicht Befreiungs-, sondern Brautwerbungsfabel liegt hier vor. Und damit haben wir die Konstellation der Hildesage vor uns, die hier sicherlich das Vorbild abgegeben haben wird. Die Sage erscheint als Zwitter aus Hildesage und Hildburg/Kudrunsage in dieser Version, die die Umgestaltung der Befreiung zur gefahrvollen Flucht aufweist.

Läßt sich von Thema und Handlungsführung nur schwer noch der Zusammenhang mit der ›Hildburg/Kudrunsage‹ erkennen, so ist das diesmal von den Namen der Hauptgestalten her um so eindeutiger möglich. Die Heldin heißt *Hildburg,* ihr Vater *Ludwig von Ormanie,* ihr Bruder *Hartmut* – alle drei Namen und sogar der Schauplatz haben Parallelen in der

Kudrun. Daß sie aus der ›Kudrun‹ entlehnt und hier in eine andere Sagenfassung sekundär eingebaut wurden, wurde von der Forschung mit guten Gründen verneint (HAGENMEYER). – Der Name des Entführers *Herbort* ist sicher nur Variante zu *Herwich*.

Die auf diesem Gebiet seit langem stagnierende Forschung müßte Panzers gründliche Analyse noch einmal auswerten und weiterzuführen suchen, um endgültig zu klären, ob hier nicht eine gesondert zu behandelnde Sproßfabel aus Hildburg/Kudrunsage und Hildesage vorliegt, deren Eigenwilligkeit man doch durch einen Namen kennzeichnen, und also von der ‚Sage von Herbort und Hildburg' oder kurz der ‚Herbortsage' sprechen sollte.

In der ›Thidrekssaga‹ (cap. 337; Übs. S. 284ff.) wird eine recht ähnliche Sage von Herborgs Entführung durch Jarl Apollonius erzählt. Andererseits kennt die ›Thidrekssaga‹ auch eine Erzählung von Hilds Entführung durch Herburt. Beide Erzählungen dürften auf der Herbortsage basieren, wobei die zweite der genannten Erzählungen die Verwandtschaft mit der Hildesage im Namen der Heldin deutlich zu erkennen gibt. (Zur Analyse dieser Teile der ›Thidrekssaga‹ vgl. PANZER und FRINGS.)

Die letzte der hier zu besprechenden Sagenfassungen läßt sich nicht an die eben besprochene Sproßfabel von Hildburgs Entführung durch Herbort anschließen, sondern an die Sagenfassung der dritten Gruppe von Dichtungen, die das Leiden in der Gefangenschaft und die Befreiung in den Mittelpunkt stellen. Allerdings findet sich in der jetzt zu analysierenden Fassung auch die Gestaltung der Befreiung als gefahrvoller Flucht, so daß die Neuerung der vierten Sagenfassung – etwa in der Form, die der ›Waltharius‹ erkennen läßt – aufgenommen erscheint.

Der Handlungsverlauf dieser jüngsten Sagenfassung läßt sich am besten aus einer sehr späten Dichtung erkennen, aus Ariosts »Orlando furioso«. In der letzten Ausgabe von 1532 findet sich im neunten Gesang eine Geschichte von Olimpia, der Tochter des Grafen von Holland, ihrem Verlobten, dem Herzog Bireno von Seeland, und dem Friesenkönig Cimosco, der erfolglos für seinen Sohn Arbante wirbt. Ariost hat augenscheinlich außer den Personennamen nur wenig gegenüber seiner Vorlage geändert. Der einzige größere Eingriff scheint darin zu liegen, daß er Bireno beim Befreiungsversuch in Gefangenschaft geraten läßt, um dem Haupthelden seines Werkes, eben Orlando, einen großen Auftritt (Typ des Rechtshelfers der Schwanenrittersage) zu gewähren. Eine spät überlieferte mecklenburgische Prosafassung hat – trotz aller Entstellungen – einen so ähnlichen Handlungsverlauf wie die Ariost-Version, daß wir aus beiden folgendes Handlungsschema für die älteste Fassung der vierten Sagenstufe erschließen können:

Der König von Holland und Flandern hat eine schöne Tochter, um die der Herzog (?) aus Seeland wirbt. Dieser Werbung wird stattgegeben und die beiden werden einander verlobt. Während der Herzog gegen die Mohren kämpft, wirbt der König von Dänemark oder Friesland (= Nordfriesland?) für seinen Sohn ebenfalls um die erwähnte Königstochter. Er wird jedoch abgewiesen.

Das veranlaßt ihn, mit Heeresmacht in Holland und Flandern einzufallen und das Land zu verwüsten. Der Bruder und der Vater der Umworbenen fallen im Kampf, sie selbst gerät in die Gewalt des Dänen-/Friesenkönigs. Erneut wird sie gebeten, den Sohn des Landesherrn zu heiraten; aber sie weigert sich. Da wird sie von der Königin mißhandelt und zuletzt in einem Turm gefangen gehalten. Als der Verlobte mit einer Flotte naht, wird er vom Dänen-/Friesenkönig besiegt und seine Schiffe werden versenkt. Daraufhin kommt er heimlich mit einem Bruder in das Land des Dänen-/Friesenkönigs zurück, dringt in den Turm ein, befreit die Gefangene (und tötet den erfolglosen Nebenbuhler?). Die Fliehenden werden vom König verfolgt. Auf einer Insel stellt sich der Verlobte zum Kampf, tötet den König und besiegt die Übermacht der Verfolger.

Danach kehrt er mit einem Heer zurück und erobert das Land. Die Gemahlin des Dänen-/Friesenkönigs wird zur Strafe für die Quälereien, die sie der Gefangenen antat, getötet. Nach der Rückkehr in die Heimat heiraten die beiden Verlobten, und ein Bruder (des Verlobten?) nimmt die Tochter des Dänen-/Friesenkönigs zur Frau, die in die Hände der Sieger gefallen war.

Dem alten Handlungsgefüge ‚Überfall – Verschleppung – Leiden in der Gefangenschaft – Befreiung' ist hier als neuer Handlungsteil die Geschichte von einer erfolgreichen und einer erfolglosen Werbung um die Heldin vorangestellt. Die erfolglose Werbung wird zur Ursache für die alte Szenenfolge: ‚Überfall (dabei oder damit zusammenhängend Tod der männlichen Angehörigen der Heldin) – Verschleppung – Leidenszeit in der Gefangenschaft'. Das Motiv der erfolglosen Werbung begegnete uns schon in Dichtungen der dritten Sagenfassung. Während es dort Mittel war, die Charakterstärke der Heldin zu erweisen und von da aus zur Entdeckung der Verwandtschaft des Paares zu führen, wird es hier dazu benutzt, den Versuch, Liebe durch Gewalt zu erzwingen, als Gegenbild zur Liebe aus Neigung vorzuführen, die der Heldin die Kraft zur duldenden Standhaftigkeit verleiht. So wird die Sage nun zur Verherrlichung und zur Darstellung verschiedener Ausprägungen von *minne, staete* und *triuwe*. Das aber sind Themen der höfischen Dichtung, so daß Ariosts Erzählung und die mecklenburgische Prosaerzählung späte Nachkömmlinge eines frühhöfischen Epos sein dürften.

Es ist interessant, daß sich eine Dichtung mit dieser Fassung der ›Hildburg/Kudrunsage‹ in einem ganz anderen Kulturkreis findet: die Erzählung von Jasmins Leiden in den Märchen aus ›Tausend und einer Nacht‹.

Die Sklavin Jasmin wird von Ala al-Din ersteigert und zur Frau genommen. Auf dieselbe Sklavin hatte aber auch der Statthalter von Bagdad seinen Sohn Habsalam bieten lassen, dem er auf Wunsch seiner Frau Khatun eine Frau suchte. Habsalam verliebt sich auf den ersten Blick in Jasmin. Als er sieht, daß ein anderer ihm zuvorgekommen ist, erkrankt Habsalam vor Gram. Khatun kann das Leid ihres Sohnes nicht mit ansehen und läßt den Meisterdieb Ahmad Kamakim dafür sorgen, daß Ala al-Din verleumdet und verhaftet, Jasmin aber entführt und zu Khatun gebracht wird. Jasmin, die ein Kind unter dem Herzen trägt, weist trotz Khatuns Zureden und Drohungen die Annäherungsversuche Habsalams zurück. Die erzürnte Mutter nimmt ihr Juwelen und seidene Gewänder ab, kleidet sie in ein härenes Hemd und eine Hose aus Sacktuch und läßt sie in der Küche die niedrigsten Dienste als Scheuermagd verrichten. Jasmin nimmt alles geduldig auf sich. Habsalam stirbt vor Kummer und Sehnsucht. Jasmins Sohn Aslan sorgt für die Befreiung seiner Mutter und die Rehabilitierung seines Vaters. Ala al-Din kehrt nach vielen Abenteuern in die Heimat zurück. Er schlägt dem Entführer Jasmins das Haupt ab und lebt fortan mit seiner ganzen Familie (drei Frauen) glücklich vereint.

Einige orientalische Eigenheiten fallen auf, die Personennamen, der Braut*kauf,* der Schauplatz, vermutlich auch die Mutterschaft Jasmins (vgl. GRÜTERS). Die Handlungsteile entsprechen auffallend denen der Kudrun: ‚erfolgreiche Werbung (= Brautkauf) / erfolglose Werbung (= Brautkauf), Verschleppung – Leiden in der Gefangenschaft (Erniedrigung zur Magd, Haß der Mutter des ständig neu abgewiesenen Bewerbers) – Befreiung‘. Besonders auffallend ist die Rolle der bösen Mutter des abgewiesenen Bewerbers und die Erniedrigung der Gefangenen zur Dienstmagd. In diesen Zügen stimmt die Jasmin-Erzählung besser zur ›Kudrun‹ als Ariosts Erzählung und die mecklenburgische Prosafassung. Sie stimmt darin aber auch zu den Dichtungen der dritten Sagenstufe, den Balladen und der Erzählung der Sagas. Sollte das vermutete frühhöfische

Epos oder vielleicht seine liedhafte Vorstufe oder eine kürzende Nacherzählung in den Orient gelangt sein? In der Zeit der Kreuzzüge und mancher Handelsverbindungen zwischen Europa und dem Orient ist das durchaus denkbar, und der ›Dukus Horant‹ beweist, daß solche literarischen Verbindungen nicht von vornherein als unmöglich abzutun sind.

Der Kudrunteil unseres Epos weist dieselbe Sagenfassung wie die hier genannten drei Dichtungen auf und ist doch durch einige Züge von den eben untersuchten Versionen unterschieden. Die auffälligsten sind: Hartmut, der erfolglose Freier, hat eine viel aktivere Rolle, er ist der echte Gegenspieler Kudruns und ihrer Sippe. Während Kudruns Erniedrigung zur Wäscherin in der eben besprochenen Fassung fehlt, spielt sie in dem höfischen Epos eine hervorragende Rolle. Auf die heimliche Rückentführung in einem Boot wird in der Kudrun ausdrücklich verzichtet. Der mißlungene Befreiungsversuch (= Seeschlacht) ist in der ›Kudrun‹ mit der Schlacht auf dem Wülpenwert (= Einschub aus der Hildesage) identifiziert und nach dieser umgestaltet, so daß der Vater der Gefangenen erst jetzt den Tod findet. Allein diese Unterschiede beweisen schon, daß die Orlando-Stelle und die mecklenburgische Prosafassung nicht aus der ›Kudrun‹ herzuleiten sind.

Schematische Darstellung des hier vermuteten Entwicklungsganges der ›Hildburg/Kudrunsage‹:

1. Sagenfassung	Handlungsteile:	Überfall seefahrender Feinde und Tod der männlichen Sippenangehörigen Verschleppung der allein überlebenden Königin
	(Textzeugen:	›Beowulf‹, ›Finnsburglied‹)
2. Sagenfassung	Handlungsteile:	Tod der (männlichen) Sippenangehörigen Gefangennahme und Verschleppung der Fürstin Leiden der Fürstin in der Gefangenschaft, Erniedrigung zur Magd (Liebesmotiv?)
	(Textzeuge: 1.	Gudrunlied der ›Edda‹)

3. Sagenfassung	Handlungsteile: (Sagaversion)	Überfall seefahrender Feinde und Tod der männlichen Angehörigen
		Gefangennahme und Verschleppung der Frauen
		Leiden der Fürstin(nen) in der Gefangenschaft, Erniedrigung zur Magd
		Befreiung (Gespräch beim Waschen, Nennung von Namen und Familie der Gefangenen; Schatzmotiv; Liebesmotiv?)
		Hochzeit
	(Textzeugen:	›Droplaugarsonasaga‹, ›Landnamabok‹)
	(Balladenversion)	
	a) Südeliballaden:	Entführung einer Königstochter, Herzogstochter o. ä.
		Erniedrigung zur Magd, Wäscherin, Dirne
		Befreiung durch Bruder (Erkennen nach abgewiesener Werbung; Goldmotiv)
		Töten der Peinigerin der Gefangenen. Heimkehr zur Mutter
	b) Meererinballaden:	Erniedrigung zur Wäscherin
		Befreiung (Gespräch beim Waschen; Goldmotiv; Heimkehr per Schiff)
		Hochzeit bzw. Wiedervereinigung mit dem Gatten

4. Sagenfassung

Handlungsteile:
- Überfall
- Verschleppung einer Königstochter (als Geisel?)
- Aufwachsen in der Gefangenschaft
- Befreiung durch Flucht mit dem Verlobten
- Kampf mit Verfolgern, Sieg über die Übermacht
- Hochzeit

(Textzeugen: ›Waltharius‹, ›Thidrekssaga‹ cap. 336, Übs. S. 281 ff.)

Diese Sagenfassung ist die Grundlage der *Sproßfabel* von Hildburgs Entführung durch Herbort.

Handlungsteile:
- Werbung (heimliche)
- Entführung
- Kampf mit Verfolgern, Sieg trotz Übermacht
- Hochzeit

(Textzeugen: ›Biterolf‹, ›Thidrekssaga‹ cap. 322, Übs. S. 272 ff.; cap. 337, Übs. S. 281 ff.)

---

5. Sagenfassung

Handlungsteile:
- erfolglose/erfolgreiche Werbung
- Überfall durch den abgewiesenen Freier
- Gefangennahme und Verschleppung der Königstochter
- Leiden in der Gefangenschaft (Erneuerung der Abweisung)
- Befreiung durch Flucht
- siegreicher Kampf gegen die Übermacht der Verfolger
- Hochzeit bzw. Vereinigung der getrennten Gatten

(Textzeugen: Ariost, mecklenburgische Prosaerzählung, Jasmin-Erzählung aus ›1001 Nacht‹, ›Kudrun‹)

Wir haben bisher bewußt nur von Sagenstufen und -fassungen und nur anfangs von den dichterischen Formen gesprochen, in die diese Inhalte vermutlich gegossen worden sind. Bei der ersten, zweiten und dritten Sagenstufe wird es sich um germanische Heldenlieder gehandelt haben, jedenfalls deuten der einsträngige Handlungsverlauf und die frühe Entstehungszeit darauf hin.

Aber schon die vierte Fassung kennen wir aus einem Epos, dem ›Waltharius‹. Vermutlich erforderte gerade die komplizierter werdende Handlung der Kontamination von (ursprünglicher) Walthersage und (ursprünglicher) ›Hildburg/Kudrunsage‹ die Wahl der epischen Gattung statt der des einsträngigen Heldenliedes.

Die Herbortsage (= 4. Sagenfassung) hat gegenüber der zweiten Sagenfassung eine erweiterte, aber immer noch einsträngige Handlungsstruktur (Werbung – Entführung – Heimkehr). Auch hier wird man daher liedhafte Formen vermuten dürfen, etwa ein spielmännisches Brautwerbungslied.

Die fünfte Sagenfassung ist dadurch charakterisiert, daß die Handlung zwei Stränge vereinigt. Die sich an die erfolgreiche Werbung knüpfende Handlung ist kontrastiert mit der, die von der erfolglosen Werbung ausgeht. Eine solche kompliziertere Struktur fordert den breiteren Raum des Epos, und die Bedeutung des Brautwerbungsmotivs drängt dazu, ein spielmännisches Epos vom Typ des ›König Rother‹ zu vermuten. Gerade auch das Auftauchen dieser Sagenfassung in einem spätmittelalterlichen Werk wie dem des Ariost und in einer Prosafassung, die mündlich bis in die Gegenwart tradiert wurde, bekräftigt die Annahme eines solchen spielmännischen Kudrunepos des 12. Jhs; denn die vor- und frühhöfischen Epen lebten in Volksbüchern, Drucken, bänkelsängerartigen Umgestaltungen weiter, während sich die höfischen Epen der klassischen Zeit einem solchen Nachwirken von ihrem geistigen Habitus her versagten.

Sowohl Ariost als auch die mecklenburgische Prosafassung enthalten nur die Kudrunsage, nicht auch zugleich die Hildesage. Das deutet wohl doch darauf, daß jenes vermutete spielmännische ›Hildburg/Kudrunepos‹ des 12. Jhs noch nicht mit dem Hildeepos vereinigt war.

Endlich muß ein Wort über die Namen einiger Sagengestalten gesagt werden. Wir nennen die Sage nach dem Namen, den die Heldin in der wichtigsten Quelle, dem mhd. Kudrunepos, trägt. Der weitaus verbreitetere Name ist jedoch Hildburg (Finnsburgkampf, Herbortsage, Biterolf, Thidrekssaga, Klage).

Er scheint in den ältesten Sagenfassungen allein herrschend gewesen zu sein. Den ersten Ansatz, der zu Kudrun hinführt, finden wir in der Walthersage. Dort heißt die Heldin Hildegund. Offensichtlich haben spätere Dichter – germanisch-mittelalterlichen Gepflogenheiten der Namengebung folgend – das zweite Glied dieses Namens zum ersten gemacht und mit einem anderen verbunden. Der Name *Gund-rûn* ist bedeutungsschwer, etwa: ‚Kampf-raunend, Kampf als Schicksal verhängend'.

In der Form *Gundrûn* ist der Name in unseren Sagenzeugnissen nicht überliefert. Die ›Klage‹ und nordische Balladen kennen den Namen *Goldrun*. Er dürfte aus *Gundrun* entstanden sein, mit Verdumpfung von *u* > *o* vor *nd* (vgl. *Burgonden*) und dem Wechsel von *n* > *l*, der – hier vielleicht durch Volksetymologie veranlaßt – in den Namen der Heldensage nicht selten zu beobachten ist (vgl. *Heoden, Hedin, Etene* aber *Hetele*).

Nun läßt sich aber die Form mhd. *Kudrun* nicht aus *Gundrun* herleiten. Es muß von *Guþrun* ausgegangen werden mit dem Nasalschwund vor *þ*, der für das Friesische besonders charakteristisch ist. Da die Anfänge der Sage ebenso wie die Schauplätze der späteren Fassungen auf Friesland weisen, wird man die Form Kudrun als Übernahme einer friesischen Namensform ansehen dürfen, die lediglich durch die Verhärtung von anlautend *g* > *k* dem Oberdeutschen angeglichen wurde.

Die Handschrift schreibt meist *Chautrun*, für die Vorlage wird *Chudrun* vermutet. In dem anlautenden *ch* sieht man bayr. *ch*, dem normalmittelhochdeutsch *k* entspricht, weshalb die Schreibung *Kudrun* in den Ausgaben durchgeführt wird. A. Heusler erwog, ob in dem *ch* die spirantische Aussprache des *g*, wie sie für das Niederfränkische typisch ist, angedeutet werden sollte.

Auch der Name des Befreiers der Heldin, vor allem des Verlobten, kann anscheinend sehr verschieden lauten. In der mhd. ›Kudrun‹ begegnet er als *Herwich*, ebenso in Lamprechts ›Alexander‹. Im ›Waltharius‹ trägt Hildgunds Vater den Namen *Hererich*. Das war wohl ehemals der Name des Verlobten, der durch Walther ersetzt wurde. In der *Herbortsage* begegnet der Name des Helden in sehr ähnlicher Lautgestalt. Es stimmt nicht nur das erste Glied völlig überein, sondern auch die Anlaute des zweiten sind desselben Ursprungs (= germ. *ƀ*).

Wir haben bei den Meererin-Balladen der zweiten Sagenstufe darauf hingewiesen, daß der Verlobte den Namen *(schwarzer) Moerer* oder ähnlich trägt. In der mhd. ›Kudrun‹ entspricht der Name *Sîvrit von Môrlant*. Immer wieder ist in der Forschung darauf hingewiesen worden, daß die um Sîvrit von Môrlant sich rankende Handlung deutlich normannisch-wikingische Züge erkennen läßt: der Überfall mit Hilfe einer Flotte, das Zurückziehen in ein Lager usw. Man hat daher *Sîvrit von Môrlant* mit dem Normannenhäuptling *Sigifridus* identifiziert, der 882 gemeinsam mit seinem Bruder *Godofridus* in die Maas einfuhr, ein festes Lager in Aschloo (jetzt Elsloo) baute, in der Gegend von Aachen und Trier plünderte, bis er von Karl dem Dicken besiegt wurde und mit ihm Frieden und ein Bündnis schloß. Er ließ sich taufen und wurde mit der Tochter Lothars II. vermählt. Es scheint, daß diese Ereignisse in einem selbständigen Zeitgedicht des 9. Jhs besungen wurden und daß man dieses später in die Kudrunsage einfügte. Es ist schwer zu sagen, wann das geschah. Sicher erkennen können wir es erst in der ›Kudrun‹.

Diese Theorie erklärt zwanglos das Auftreten normannisch-wikingischer Taktiken und des Namens Sîvrit im mhd. Kudrunepos. Aber die Bezeichnung *von Môrlant* bleibt unerklärt; denn zu dem Normannenhäuptling Siegfried des 9. Jhs besteht keine erkennbare Beziehung.

Wenn wir davon ausgehen, daß die Bezeichnung ‚Herr von Moorland' schon von der zweiten Sagenstufe an in der Kudrunsage als Name des Befreiers heimisch ist, dann löst sich das Problem verhältnismäßig einfach: der Name des Verlobten der Heldin lautete in einigen Versionen der Kudrunsage Herwich (von Seeland), in anderen – den Balladen – aber ‚Herr von Moorland'. Der Dichter des Kudrunepos' vereinigte beide Namen miteinander, indem er dem Verlobten der Heldin – dem spielmännischen Epos folgend – den Namen Herwig gab, aber den Namen ‚Herr von Moorland' anderer Versionen nicht überging. Die Rolle des Herrn von Moorland konnte nicht erhalten bleiben, so wurde sie umgeformt zu der eines erfolglosen, teils rachsüchtigen, teils überaus edlen Nebenbuhlers. In dieser Rolle konnte dann der Herr von Moorland mit dem Normannenführer Siegfried identifiziert werden.

3. Verbindung von Kudrun- und Hildesage

Wenn man die Entwicklung der Kudrunsage überblickt, wird deutlich, daß es sich um eine ungemein lebendige, verbreitete und beliebte Sage gehandelt haben muß, die zu dauerndem Um- und Ausgestalten herausforderte. Kann es nicht sein, daß die Hildesage mit ihrer recht verwandten Thematik mehrfach in den Sog der Kudrunsage geriet? Für diese, der bisherigen Forschungsmeinung widersprechende, Anschauung spricht vor allem der Wandel des Schauplatzes in der Hildesage. Ursprünglich spielte die Handlung im Ostseeraum, später wurde sie in den Nordseeraum verlegt. Die Kudrunsage beharrte von Anfang an bei der Nordseeküste als Schauplatz ihrer Handlung. Brachte man die beiden Sagen innerlich – keineswegs faktisch in einem Handlungsverlauf – miteinander in Verbindung, so daß die Kudrunsage die Hildesage in den Nordseeraum hinüberzog? Kulturhistorische Gegebenheiten mögen mitgewirkt haben, da der Ostseeraum nach Abwanderung der dort sitzenden germanischen Stämme aus dem Interesse der Heldendichtung schwand.

Auch inhaltlich haben die beiden Sagen so starke Ähnlichkeiten, daß der Motivaustausch zwischen ihnen gewiß nicht erst im 13. Jh. einsetzte. Das beste Beispiel bietet die Herbortsage, in der die Vereinigung von Motiven der Hildesage mit der Kudrunsage so weit ging, daß das Wesen der letzteren zerstört wurde und eine Mischform aus beiden Sagen entstand. Erst der Dichter des mhd. Epos verstand es, beide Sagen in ihrem Wesen unverfälscht zu erhalten und doch zu einem Ganzen zu verbinden. Aber hier wie in der Herbortsage ist es die Kudrunsage, von der die Anziehungskraft ausgeht. Ihr ist denn auch im mhd. Epos der größere Raum gewidmet worden, während die Hildesage fast zur Vorgeschichte degradiert wird.

Literatur:

Eine Zusammenstellung vieler wichtiger Textstellen befindet sich in der Ausgabe von P. PIPER, S. LXVI–CXXXV.

Altenglische Texte:

Beowulf nebst den kleineren Denkmälern der Heldensage. I. Hrsg. v. F. HOLTHAUSEN, [8]1948.

Beowulf und das Finnsburg-Bruchstück. Aus d. Angelsächs. v. F. GENZMER, 1953. (Reclams Univ.-Bibl. Nr 430.)

Saxo Grammaticus:

Saxonis Gesta Danorum. Hrsg. v. A. C. KNABE, P. HERMANN, J. OLRIK, H. ROEDER. 2 Bde. Kopenhagen 1931/35.

Edda:

Edda. Die Lieder des Codex Regius nebst verwandten Denkmälern, hrsg. v. G. NECKEL. 2 Bde. 3. bzw. 2. Aufl., 1936; 4. Aufl. bearb. v. HANS KUHN, 1962.

Die Edda. Übertragen v. F. Genzmer. Mit Einleitungen u. Anmerkungen v. A. Heusler, 2 Bde. 4. bzw. 3. Aufl., 1934; fotomechan. Neudruck 1963. (Thule. 1. 2.)

Die Edda. Nach der Übersetzung v. K. Simrock neu bearb. u. eingel. v. Hans Kuhn. Bd 1: Die Götterlieder der älteren Edda; Bd 2: Die Heldenlieder der Älteren Edda; Bd 3: Die Jüngere Edda des Snorri Sturluson, 1935/36; Neudruck 1947 u.ö. (Reclams Univ.-Bibl. Nr 781–785.)

Mhd. Texte:

Lamprechts Alexander. Hrsg. v. K. Kinzel, 1885. (Germanist. Handbibl. 4.)

Das Rolandslied des Pfaffen Konrad. Hrsg. v. C. Wesle, 2. Aufl. bearb. von P. Wapnewski, 1967.

Salman und Morolf, hrsg. v. F. Vogt, 1880.

Biterolf und Dietleib, hrsg. von O. Jänicke, in: Deutsches Heldenbuch. Tl 1. 1866, Nachdr. 1963.

Dukus Horant:

L. Fuks, The oldest known literary Documents of Yiddish literature. 2 vol. Leiden 1957.

Dukus Horant hrsg. von P. F. Ganz, F. Norman, W. Schwarz, Exkurs von S. A. Birnbaum. 1964.

Balladen (deutsche):

Balladen. Hrsg. v. John Meier, 1935. (Dt. Lit. in Entwicklungsreihen. Das dt. Volkslied. Bd 1. Darin Nr 4, S. 50–52: Brautwerbung, Nr 5, S. 52–55: Die schöne Meererin. Bd 4 Nr 72, S. 1–38 Südeli-Ballade.

Deutsche Volkslieder mit ihren Melodien. Hrsg. v. Dt. Volksliedarchiv. Bd 1–4: Balladen 1935 ff.

M. Kübel, Das Fortleben des Kudrunepos, 1929. (Von dt. Poeterey. 5.) – Im Anhang einige bis dahin unveröffentlichte Balladenversionen und die mecklenburgische Prosafassung.

Sagas:

Þidriks saga af Bern. Hrsg. v. H. Bertelsen, 2 Bde, Kopenhagen 1905/11.

Die Geschichte Thidreks von Bern. Übertragen v. F. Erichsen. 1924. (Thule. 22.)

Droplaugarsonasaga in: Austfirðinga sǫgur, ed. J. Jakobsen. Kopenhagen 1902–1903. (SGNL 29), S. 141–180.

Sieben Geschichten von den Ostland-Familien. Übertragen von G. Neckel 1934 (Thule. 12.), S. 105–137.

Landnamabok, ed. F. Jonsson. Kopenhagen 1900.

Islands Besiedlung und älteste Geschichte. Übertragen von W. Baetke. 1928. (Thule. 23.)

Gesamtdarstellungen der Sagengeschichte:

F. PANZER, Hilde-Gudrun. Eine sagen- u. literaturgeschichtl. Untersuchung, 1901.

A. HEUSLER, in: Hoops Reallexikon der dt. Altertumskunde. 1913/15. Bd 2, S. 520f.; Bd 3, S. 113f.

H. SCHNEIDER, Germanische Heldensage, Bd 1. 1928, [2]1962, S. 361ff.

H. SCHNEIDER, Deutsche Heldensage, 1930, 2. Aufl. bearb. v. R. WISNIEWSKI, 1963.

W. JUNGANDREAS, Die Gudrunsage in den Ober- u. Niederlanden, Eine Vorgeschichte des Epos, 1948.

J. CARLES, Le poème de Kudrun. Etude de sa matière. 1963.

H. ZAHN, Zur Kudrun. Epische Schichten und literarische Stufen. (Ein Beitrag zum Form- u. Stilgesetz der Kudrun.) Diss. Freiburg 1964.

vgl. ferner die S. VII und S. 77f. angegebene Literatur.

Einzeluntersuchungen:

R. MUCH, Der germanische Osten in der Heldensage, in: ZfdA 57 (1920), S. 145–176.

R. MUCH, Die Südmark der Germanen, in: PBB 17 (1892/93), S. 1–136.

E. SCHWARZ, Germanische Stammeskunde, 1956.

A. LANGE-SEIDEL, Der germanische Zaubersänger und -spielmann. Diss. München 1944.

TH. FRINGS, Hilde, in: PBB 54 (1930), S. 391–418.

H. REUSCHEL, Saga und Wikinglied, Ein Beitrag zur Hildesage, in: PBB 56 (1932), S. 321–345.

W. BAETKE, Hiddensee als Zeugnis german. Heldensage, in: Unser Pommerland 18 (1933), S. 129–134. (Sonderheft Hiddensee).

H. MARQUARDT, Die Hilde-Gudrunsage in ihrer Beziehung zu den germanischen Brautraubsagen und den mhd. Brautfahrtepen, in: ZfdA 70 (1933), S. 1–23.

E. CASTLE, Eine romanische Fassung der Hildesage, in: Anz. d. phil. hist. Kl. Akad. d. Wiss. Wien 1945, S. 54–69.

L. PEETERS, Kudrun und die Legendendichtung, in: Leuvense Bijdragen 50 (1961), S. 58–85.

TH. FRINGS, Die Entstehung der deutschen Spielmannsepen, in: Ztschr. f. dt. Geisteswiss. 2 (1939/40), S. 306–321.

W. J. SCHRÖDER, Spielmannsepik, 1962; 2., verbess. Aufl. 1967. (Slg Metzler. 19.)

M. CURSCHMANN, Der Münchener Oswald und die deutsche spielmännische Epik. Mit einem Exkurs zur Kultgeschichte u. Dichtungstradition, 1964.

DERS., „Spielmannsepik". Wege u. Ergebnisse der Forschung von 1907–1965. 1968. (Referate aus der DVjs.)

H. SIEFKEN, Überindividuelle Formen und der Aufbau des Kudrunepos, 1967. (Medium Aevum. 11.)

F. H. BÄUML, Der Übergang mündlicher zur artes-bestimmten Literatur des Mittelalters, in: Festschrift G. Eis, 1968, S. 1–10.

I. SCHRÖBLER, Wikingische und spielmännische Elemente im zweiten Teil des Gudrunliedes, 1934.
H. W. J. KROES, Kudrunprobleme, in: Neophilol. 38 (1954), S. 11–23.
TH. FRINGS, Herbort, Studien zur Thidrekssaga, 1943. (Sächs. Akad. d. Wiss. phil. hist. Kl. 95, H. 3.)
A. HAGENMEYER, Die Quellen des Biterolf. Diss. Tübingen 1926.
B. KAHLE, Das Motiv von der wiedergefundenen Schwester im Altisländischen, in: PBB 34 (1909), S. 420–423.
E. CASTLE, Die Geschichte von der getreuen Jasmin. Eine orientalische Parallele zu Gudruns Leiden, in: Neophilologus 19 (1934), S. 24–26.
O. GRÜTERS, Kudrun, Südeli und Jasmin, in: GRM 28 (1940), S. 161–178.

Zum Dukus Horant:

I. SCHRÖBLER, Zu L. FUKS Ausgabe der ältesten bisher bekannten Denkmäler jiddischer Literatur, in: ZfdA 89 (1958/59), S. 135–162.
H. FROMM, Die Erzählkunst des Rother-Epikers, in: Euphorion 54 (1960), S. 347–379.
H. MENHARDT, Zur Herkunft des ›Dukus Horant‹, in: Mitteilungen aus dem Arbeitskreis für Jiddistik 2 (1961), S. 33–36.
H. NEUMANN, Sprache und Reim in den judendeutschen Gedichten des Cambridge Kodex T–S 10 K 22, in: Festschr. f. Wolfgang Krause, 1960, S. 145–168.
H. ROSENFELD, Der Dukus Horant und die Kudrun von 1233, in: Mitteilungen aus dem Arbeitskreis für Jiddistik, Bd 2 (1960–64), S. 129–134.
S. COLDITZ, Studien zum hebräisch-mhd. Fragment vom Dukus Horant. (c. 1382). Diss. Leipzig 1964 (Masch.)
W. RÖLL und C. GERHARDT, Zur literarhistorischen Einordnung des sogenannten ‚Dukus Horant', in: DVjs. 41 (1967), S. 517–527.

Zu Ariosts Orlando:

O. GRÜTERS, Das Märe von der getreuen Braut, in: GRM 3 (1911), S. 138–151.
H. FRENZEL, L'episodio di Olimpia e una sua fonte nordica, in: Giornale Italiano di Filol 3 (1950), S. 289ff.
DERS., Ariost und die Ambraser Handschrift, in: GRM 38 (1957), S. 78–84.
O. GRÜTERS, Kudrun und Orlando Furioso, in: GRM 38 (1957), S. 75–78.

Zu den deutschen Balladen:

M. KÜBEL, Das Fortleben des Kudrunepos, 1929.
R. MENENDEZ-PIDAL, Das Fortleben des Kudrungedichtes. (Der Ursprung der Ballade.) In: Jb. f. Volksliedforschg 5 (1936), S. 85–122.
H. SCHNEIDER, Ursprung und Alter der dt. Volksballade, in: Fest-

schr. f. G. Ehrismann, 1925, S. 112–124, abgedr. in: H. SCHNEIDER, Kleinere Schriften, 1962, S. 96–106.

B. BOESCH, Kudrunepos und Ursprung der deutschen Ballade, in: GRM 28 (1940), S. 259–269.

J. KELEMINA, Meererin, in: Südost-Forschungen 5 (1940), S. 823ff.

Über historische Ansätze oder mythologische Vorformen besonders:

N. LUKMAN, The Catalaunian Battles in Medieval Epics, in: Classica et Mediaevalia 10 (1948), S. 60–131 (Hilde = römische Prinzessin Honoria, Hagen = Eugenius, ihr Liebhaber).

W. LAUR, Die Heldensage vom Finnsburgkampf, in: ZfdA 85 (1954/55), S. 107–136.

F. R. SCHRÖDER, Die Sage von Hetel und Hilde, in: DVjs. 32 (1958), S. 38–70.

K. VON SEE, Germanische Heldensage. Ein Forschungsbericht, in: Göttingische Gelehrte Anzeigen 218 (1966), S. 52–98 (kritische Auseinandersetzung mit den mythologischen Deutungsversuchen in neuerer Heldensagenforschung.

H. ROSENFELD: Die Namen der Heldendichtung, insbesondere Nibelung, Hagen, Wate, Hetel, Horand, Gudrun. In: Beiträge zur Namenforschung. N. F. Bd 1 (1966), S. 231–265 (gegen die mythologische Deutung einzelner Namen).

3. KAPITEL: DER GEHALT

1. Die Schauplätze der Handlung

Jeder Interpretation des mhd. Kudrunepos stellt sich schon in den primitivsten Grundlagen eine große Schwierigkeit in den Weg: die geographischen Angaben. Irland, Wales, Holstein, die Normandie, das holländisch-westfriesische Küstengebiet und schließlich noch der Mittelmeerraum werden mit einzelnen Orten benannt, lassen aber kaum erkennen, wie der Dichter sie zueinander ordnet und in welcher Landschaft er sich die Handlung vorstellt. Um Klarheit in diesen Dingen zu gewinnen, hat die Forschung darauf besondere Mühe verwandt.

Viele Forscher – wie etwa H. SCHNEIDER, Heldensage, Bd I, S. 372 – neigen zu der Ansicht, daß die ›Kudrun‹ sichtlich keine einheitliche geographische Vorstellung aufweise. Jüngst hat D. BLAMIRES zu zeigen versucht, daß der Dichter der ›Kudrun‹ keinen Unterschied zwischen wirklicher und fiktiver Geographie mache. Viele Namen lassen sich als literarische Reminiszenzen an mhd. Epen erklären, z. B. *Frideschotten, Garadê,*

Wâleis = Reminiszenzen an ›Parzival‹, *Galeis* an ›Tristan‹, *Campalie* an das ›Rolandslied‹ v. 2665, *Nîflant* an das ›Nibelungenlied‹. Trifft diese Erklärung zu, dann verlagert sich das Problem zunächst nur in die Vorstufen und Quellen der betreffenden Werke; offen bleibt die Frage, ob vielleicht den in mehreren Epen erscheinenden Ortsnamen eine besondere Bedeutung zukommt, etwa als Zeugen eines bestimmten geographischen Raumes, der Pflegstätte vor- und frühhöfischer Literatur war.

Zunächst sollten wir also versuchen, den Schauplatz der ›Kudrun‹ als real-vorstellbar zu erfassen. Dazu müssen so viele Namen wie möglich miteinander in Einklang gebracht werden.

Am energischsten hat diesen Versuch K. MÜLLENHOFF durchgeführt. Er geht davon aus, daß unter Seeland nicht die niederländischen Seelande an der Scheldemündung zu verstehen seien und erst recht nicht die dänische Ostseeinsel Seeland (so aber wieder PANZER, S. 441 Anm. 1), sondern die friesischen Seelande an der Ems und der Weser.

Das Land Hetels, das *Hegelinge* bzw. *Hedeninge lant* (auch einige Ortsnamen weisen *g* statt des älteren *d* auf, so *Högling* < *Hegelingaz*, 804 urkundlich belegt) denkt sich Müllenhoff ebenfalls im südlichen Nordseegebiet, nämlich am unteren Rhein, der unteren Maas und Schelde; da aber Hetele offensichtlich auch König von Dänemark ist, das Horand als sein Lehnsmann besitzt, muß er auch dieses zu Hegelingen Land rechnen.

Der Name *Môrlant* hat viele Deutungen erfahren (= eine niederländische Moorgegend, fries. Moorsaten, das Moor- und Brokmännerland, Maurungia jenseits der Elbe, Land der gallischen Moriner in Flandern). Müllenhoff glaubt nicht, daß in ihm ein echter geographischer Begriff steckt, sondern weist nach, daß in der Dichtung des 11./12. Jhs die Normannen als Sarazenen oder morgenländische Heiden bezeichnet werden, so daß es sich hier um Einfluß der Kreuzzugsdichtung handeln könnte.

Auch *Ortlant* ist nach Müllenhoff kein bestimmtes geographisches Gebiet innerhalb von Hetels Reich, sondern lediglich eine weitere, umfassendere Bezeichnung dieses Reiches, nämlich *Nortlant*, das vom Kudrundichter versehentlich zu einem eigenen Teilgebiet gemacht wurde.

Schließlich ist *Sturmlant* für Müllenhoff nicht die Provinz Stormarn, sondern der Sturmigau an der Aller und Weser um Verden.

Müllenhoffs Ansichten blieben weitgehend unwidersprochen und formen noch heute unsere Vorstellungen vom Geschehen in der Kudrun.

Eine wichtige Ergänzung verdanken wir R. MEISSNER, der das rätselhafte *Gustrate* als einen wichtigen Orientierungspunkt der Kanalschiffahrt identifizierte, nämlich als ein Vorgebirge an der englischen Südküste, das mnd. *to den Gholtsterte* oder *Goustert* heißt. Bei dieser Interpretation bleibt nur leider die Schwierigkeit bestehen, daß *Goustert* von der Normandie aus östlich liegt und daher niemals von den in der Normandie befindlichen Hegelingen als Ort des Sonnenunterganges gesehen werden kann, wie es die Str. 1164 nahelegt, so daß eine Unstimmigkeit vorliegen und man dem Dichter der ›Kudrun‹ vorwerfen muß, daß er den Ort des Sonnenaufganges mit dem des -unterganges verwechselte, was wieder auf mangelnde geographische Kenntnis des Dichters schließen läßt.

Einige Abweichungen von Müllenhoffs Ansätzen bietet W. JUNGANDREAS. Er kehrt zu der Anschauung zurück, daß unter *Sêlant* die niederländische Provinz Zeeland zu verstehen sei. Als das Land Hetels sieht er Brabant an (*Macelanes, Maslinas* = Mecheln). Bei dem Namen *Ortland* geht er von der Nebenform *Hortland* aus, die die Handschrift einige Male bietet, und denkt sie aus **Holtland* und schließlich **Holland* entstanden, was allerdings kaum glaubhaft erscheint. Friesland ist wie bei Müllenhoff das friesische Stammland zwischen Rhein- und Wesermündung. Ebenso glaubt er *Tenemarke* neben *Galeis* (= Calais) an der nordfranzösisch-belgischen Küste gelegen.

Müllenhoffs und Jungandreas' Meinungen stimmen darin überein, daß das Hauptgeschehen in das nordfranzösische, belgische, (west-)friesische Küstengebiet verlegt wird. Im Kudrunepos spielt aber Dänemark eine so zentrale Rolle und es scheint gar nicht weit entfernt von Hetels Regierungssitz, daß man nicht recht zufrieden ist, wenn man versucht, es sich durch die Nordsee weitgehend isoliert von Hegelingenland vorzustellen. Nach Müllenhoff gehört der *Wülpensant* zu Hetels Land, nach Jungandreas gar zu Herwigs Land, in dem sich doch Hetel und sein Heer befinden als Kudrun von Hartmut geraubt wird. Alle Strophen, die von der Fahrt der Normannen oder von der Verfolgung der Hegelinge erzählen, lassen aber eher daran denken, daß der *Wülpensant* nicht zu Hetels oder Herwichs Land gehört, sondern weit entfernt ist, so daß Hartmut nach der Strapaze einer großen Seereise diese Insel ansteuert, um dort eine längere Rast einzulegen (Str. 809; 846; 847ff.). Es wäre unvergleichlich töricht, das in unmittelbarer Nähe, ja noch innerhalb von Hetels oder Herwigs Reich zu tun. Muß man also dem Dichter der ›Kudrun‹ wirklich absolute Unkenntnis der Ortsverhältnisse zuschreiben?

Wenn man die Angaben der ›Kudrun‹ ernst nimmt und davon ausgeht, daß zu Hetels Reich *Tenemarke, Dietmers* und *Holzânelant* gehören, die sicher lokalisierbar sind, ergibt sich ein geschlossener Block von einzelnen Ländern, so wie man sich Hetels Reich nach der ›Kudrun‹ vorstellen möchte. Wir suchen demnach den Kern des Reiches nicht an der südlichen Nordseeküste, sondern vielmehr auf der jütischen Halbinsel (vgl. K. Droege, H. Hempel, J. Carles).

Die einzelnen Teile von Hetels Königreich lassen sich ganz gut erkennen. Horant beherrscht *Tenemarke,* Wate *Sturmlant,* Ortwin *Ortlant* oder *Ortrîche.* Irolt ist Herr der *Friesen* und der *Holzsaezen. Dietmers* wird lediglich einmal als Teil von Hetels Reich genannt.

Können diese geographischen Angaben auf die jütische Halbinsel bezogen werden? Bei den Holsteinern versteht sich das ebenso von selbst wie bei den *Tenen.* Mit den Friesen können die Nordfriesen gemeint sein. Bei *Sturmlant* möchte man um so eher an die Provinz Stormarn denken, als Wate, der ihr Herr ist, so abfällig über die Sachsen urteilt, wie es eigentlich nur ein Nachbar tun kann (Str. 1503).

Schwierigkeiten bereitet *Ortlant.* Mit Müllenhoff wird man, wegen der Stabung mit *Ortwîn,* diese Namensform für die ursprüngliche halten, wenn sie auch sagengeschichtlich jung sein mag. Sicher ist auch, daß der mhd. Dichter beide Namen, *Ortwîn* wie *Ortlant,* mit dem Wort *ort* = ‚Spitze' zusammenbrachte, wenn er auf Ortwîns Fahne *örter,* also wohl Waffenspitzen, abgebildet sein läßt (Str. 1371).

Über *Ortlant* macht der Dichter einige genauere Angaben. Ein breiter Fluß wird erwähnt (Str. 1097), Hegelingen liegt *nâhen bî Ortlande* (Str. 207), und als Hartmut in Hetels Land fährt, um Kudrun zu rauben, segelt er *neben Ortlande* (749). Vielleicht handelt es sich um das Gebiet bei dem Ort *Ording,* heute an der Spitze der Halbinsel Eiderstedt gelegen, früher auf Utholm, das sich zwischen Suderstrand und Everschop, Eyderstede befand (vgl. die Karte S. VIII). Der große Fluß, der das Land Ortwins durchquert, könnte die Hever gewesen sein, deren Verlauf zu rekonstruieren die an Nordfriesland interessierte Altertumswissenschaft bemüht ist.

Fährt man an der Nordküste der genannten Gebiete entlang, so kommt man in das Gebiet um die Stadt Husum. Das ist altes friesisches Siedlungsland. Es trägt den Namen *Goesharde,* früher *Goestherde.* Das erinnert an *Gustrate,* so daß wir hier den etwas entstellten Namen des Heimatlandes der Hegelinge vor uns haben könnten. Die Strophe, in der dieser seltsame Name auftaucht, lautet:

Si heten mit dem râte gestriten al den tac.
ez was nu worden spâte, der sunne schîn gelac
verborgen hinder wolken. Ze Gustrâte verre
des muose noch belîben Ortwîn und Herwîc der herre. (v. 1164)

Die hier gebotene Interpunktion weicht von der in den Ausgaben üblichen ab; denn dort wird erst nach *verre* der Punkt gesetzt, so daß *ze Gustrate verre* als Ortsangabe erscheint, die den Sonnenuntergang bezeichnet. Wir fassen es dagegen als Bestimmung einer allgemeinen Ortsbezeichnung wie *lant* oder *stat* (vgl. *sît nante man ez dâ zem Wülpensande* = die Insel Wülpensand, Str. 950, 4), so daß man übersetzen kann: „deshalb mußten Ortwin und Herwic dem Land Gustrate noch fernbleiben".

Bleibt man bei der alten Interpunktion, so kann man ebenfalls – wie bei der Gleichsetzung von Gustrate und Goustert – an den Sonnenuntergang denken, so daß nicht unbedingt eine Verwechslung von Ost und West vorliegen muß, sondern vielleicht ein stimmungsvolles Erinnerungsbild an die Sonnenuntergänge in der Heimat.

Auch die benachbarten Harden (= alte friesische Bezeichnung, wohl für Hundertschaften) scheinen in der ›Kudrun‹ aufzutauchen. Nördlich von den Goesharden liegen die Karrharde, d. i. *Karadê, Karadie, Karadîne,* ein Teil von Sîvrits von Môrlant Herrschaftsbereich. Damit wird auch die Bezeichnung *Môrlant* identifizierbar; es kann sich um das friesische Moorland handeln, die Harde (Risum)moor, deren Einwohner noch heute als Moringer, Moeringer bezeichnet werden.

Damit wird der holsteinisch-jütländische Schauplatz klar festlegbar. Gustrate (= Goesharde) scheint das Stammland der Hegelingen oder Hedeningen zu bezeichnen. Man ist versucht, die noch fehlenden Namen, die Burgen *Campatille* und *Matelane,* Morungs Reich *Nîfland, Gîvers,* das zu Dänemark zu gehören scheint (Str. 564), *Abakîe, Abalîe* und *Ikarja,* die zu *Môrlant* gehören, Morungs Lehen *Wâleis* ebenfalls als geographisch festlegbare Bezeichnungen dieses Raumes zu nehmen und nach ihnen zu forschen. Vielleicht gelingt es eines Tages wirklich, sie zu finden.

Schon Müllenhoff wies aber darauf hin, daß in der Geographie der ›Kudrun‹ ein nicht geringer Teil der Geschichte der Sage steckt. So sicher wie es zu sein scheint, daß der Dichter des Kudrunepos das holsteinische Gebiet als den einen Schauplatz, die Normandie als den anderen nahm – dazwischen die weite Strecke etwa halbierend und daher als Rastplatz ausgezeichnet geeignet, der Wülpensant in der Scheldemündung –, so sicher ist es ebenfalls, daß andere Sagenfassungen andere Schauplätze kannten, und daß wir daher in der ›Kudrun‹ Reste von mitgeschleppten geographischen Vorstellungen erwarten dürfen, die in der ›Kudrun‹ sinnlos, in anderen Sagenfassungen sinnvoll erscheinen.

Als letzte erkennbare Vorstufe der ›Kudrun‹ haben wir ein vor- oder frühhöfisches Epos vermutet. Die erhaltenen Spielmannsepen lassen Freude an der Weite, am Mittelmeerraum, am Kreuzfahrermilieu erkennen. So werden auch Namen wie *Abakîe, Abalîe, Abagî, Agabî* in diesem Zusammenhang gesehen und – sofern sie nicht tatsächlich als nordfriesische Namen erkannt werden – im Mittelmeerraum gesucht werden müssen. Vielleicht darf man mit E. MARTIN (Einleitung S. LVI) an *Algarve, Algarabien* an der Südspitze Portugals denken und dort auch *Alzabê* als Hauptstadt suchen. *Ikarja* kann die Insel im ägäischen Meer sein. Oder müssen wir sie näher an Spanien vermuten? Denn daß Spanien im spielmännischen Kudrunepos eine Rolle spielte, wird aus Ariosts Darstellung klar, der Bireno in Spanien gegen die Mohren kämpfen läßt.

Immerhin bleibt Spanien als Land des Mohrenkönigs nur Nebenschauplatz. Hetels Land liegt nach Ariost in Holland und Flandern. Diese Lokalisierung läßt sich ebenfalls in der ›Kudrun‹ wiederfinden. So ist es gut denkbar, daß *Galais* (= Calais (?), Land Herwigs) und *Waleis* (= Landschaft im Mündungsgebiet des Rheins? vgl. Waal) aus dieser Quelle stammen und vom Dichter des Kudrunliedes kurzentschlossen zu einem Teil Holsteins gemacht wurden. *Matelane,* vermutlich richtiger mit *Macelane* in den Ausgaben wiederzugeben, da sich Hans Ried, der zunächst zwischen *t* und *c* schwankt, allmählich für die *c*-Schreibung entschließt, kann mit Mecheln (niederfränkisch *Machlinium,* romanisch *Maslinas*) gleichgesetzt werden. Es ist denkbar, daß der Name *Macelane* aus dem vorhöfischen Kudrunepos stammt, da er nur im zweiten Teil der ›Kudrun‹ gebraucht wird. Damit gewinnen wir als den einen Hauptschauplatz des vorhöfischen Kudrunepos den Raum um Calais, sowie Flandern, Brabant und Holland, also das Küstengebiet zwischen Zeeland und den westfriesischen Inseln, wobei Waleis tatsächlich als Grenzland erscheint, wie es häufiger in der ›Kudrun‹ genannt wird (z.B. Str. 799), wenn darunter das Land in der Gegend von Nijmegen zu verstehen ist.

Besonders interessant sind in diesem Zusammenhang die Hinweise J.W. Vorrinks, der einige Ortsnamen der ›Kudrun‹ als Reste einer 'Urgudrun' deutet, die er sich ca 1100 im holländischen Küstengebiet entstanden denkt. So wird erklärt: *Hortland* = Außendeichsland (durch südwestniederländischen *h*-Ausfall auch *Ortland*), *Wâleis* = Flußland (*waal* = Gewässer, Wasser, Fluß), *Gâleis* = Gebiet der Herren von Poortugaal, *Eyerlant* = Gegend nördlich von Texel, *Campatille* = altfries. Wort für Ritterburg (*campa* = Kämpfer, *tille* = Haus). Eine kritische Wertung der Angaben muß den Kennern der niederländischen und friesischen Ortsnamen überlassen bleiben, deren Eingreifen in die Diskussion des hier besprochenen Problems überhaupt vonnöten wäre.

Wenn in dem vermuteten vor- oder frühhöfischen Kudrunepos das Land der Hegelinge im holländischen Küstengebiet lag, wo befand sich dann das Land des Gegenspielers? Nach Ariost ist er König von Friesland. Damit meint Ariost sicher die friesischen Stammlande westlich und östlich der Ems, so daß der Krieg zwischen Olimpias Vater und dem Friesenkönig als Landkrieg gezeichnet werden kann. Eine Seeschlacht wird nur erwähnt, als Bireno mit seiner Flotte aus Spanien herbeieilt. Die mecklenburgische Prosafassung kennt folgende Verteilung: Ein König „ut dat Reich" verlobt seine Tochter mit einem Prinzen „ut Norden", während die Werbung des Königs von Dänemark abgeschlagen wird. Ariost und die mecklenburgische Prosafassung stimmen also darin überein, daß sie gegenüber der ›Kudrun‹ *nicht* die Normandie als das Land von Kudruns Exil kennen. Sie gehen darin auseinander, daß Ariost Friesland, die mecklenburgische Prosafassung aber Dänemark als Ort des Exils nennen. Das läßt sich leicht zur Deckung bringen, wenn wir unter Friesland nicht mit Ariost West- und Ostfriesland verstehen, sondern das Dänemark benachbarte Nordfriesland. Damit ergibt sich für die vorhöfische ›Kudrun‹ neben Spanien und dem flandrisch-holländischen Raum als dritter Schauplatz Nordfriesland/Dänemark.

Die Schwierigkeiten der Geographie der ›Kudrun‹ entstehen also vor allem daraus, daß die Lage der Schauplätze im Verlauf der Sagenentwicklung zwischen nordfranzösisch/holländisch/friesischem und dänisch/nordfriesischem Küstengebiet wechselte. Das mag damit zusammenhängen, daß sowohl in den friesischen Stammlanden und den benachbarten Gebieten südlich der Nordsee die Sage erzählt wurde – und dann war der Dänenkönig jenseits des Meeres der Gegenspieler, ein (west/ost-)friesischer Held der Befreier – als auch im nordfriesischen Auswanderungsgebiet, in dem verständlicherweise die Lokalisierung umgedreht wurde, so daß ein normannischer König zum Gegenspieler, ein Nordfriese (vermutlich ursprünglich ein Moeringer) zum Befreier der Heldin werden mußte.

Von hier aus muß man auch das Problem zu lösen versuchen, das am klarsten zu sein scheint und am schwersten ist: Seeland. An sich steht der Identifizierung mit dem holländischen Zeeland oder dem friesischen Seeland zwischen Ems und Weser für die vorhöfische ›Kudrun‹ nichts im Wege; aber die Bezeichnung der mecklenburgischen Prosafassung warnt davor, wenn sie für Herwig von Seeland die Bezeichnung „Prinz ut Norden" kennt. Das läßt sich mit der Angabe Ariosts nur dann in Übereinstimmung bringen, wenn man darunter an den ostfriesischen Nordigau mit Norden als Hauptsiedlung denkt.

Was versteht aber unser Kudrunepos unter Seeland? Als die Hegelinge nach Seeland eilen, um Herwig gegen Sivrit von Môrlant beizustehen, benötigen sie dazu keine Schiffe, und aus vielen Stellen läßt sich erkennen, daß Seeland dem Hegelingenland benachbart sein muß. Daher erscheint weder die Identifizierung mit dem holländischen Zeeland noch die mit dem Seeland zwischen Ems und Weser befriedigend. Der Darstellung der ›Kudrun‹ nach muß es sich ebenfalls um ein Gebiet handeln, das im schleswig-holsteinischen Raum zu suchen ist. Handelt es sich um das Gebiet südlich von Sillerup, das heute den Namen *Seeland* trägt?

Bis jetzt haben wir bewußt die geographischen Angaben des Hildeteils außer acht gelassen. Allgemein wird unter dem *Eyrlant* oder *Eyerlanndt* der ›Ambraser Handschrift‹ Irland verstanden und dementsprechend auch in den Ausgaben geschrieben. Das ist auch vielleicht richtig, zumal die auffälligen Parallelen zum ›Tristan‹ es glaubhaft erscheinen lassen, daß der Dichter der ›Kudrun‹ analog zu Tristans Werbungsfahrt zu Isolde von Irland in seinem Werk die Werbung Hetels um Hilde von Irland gestaltete. Dementsprechend kann man den Namen der Burg *Baljan* dem irischen Ortsnamen Ballyghan gleichsetzen.

Aber die Strophen 108 ff. bezeichnen *Garadê* als *Eyrland* benachbart. *Garadê* dürfte nur eine andere Schreibung für *Karadê* sein, also ebenfalls die nordfriesischen Karrharde bezeichnen. Dort befindet sich als ein Hauptort Soholm, was wohl das

Salme des Hildeteils ist (Str. 110). Es erhebt sich also die Frage, ob auch *Eyrland* tatsächlich Irland meint bzw. ursprünglich gemeint hat. Vielleicht haben wir hier eher das friesische Land an der Eider (= Eiderstedt) zu vermuten oder irgendeinen anderen Teil der jütischen Halbinsel, dessen Name mit fries. *ā* oder *ē* (= Wasser, Fluß, Bach) zusammengesetzt sein könnte? Nur so wird auch verständlich, daß man von Norwegen nach *Eyerlant* segelnd des Westwindes bedarf, um landen zu können (Str. 13).

Die Hauptstadt *Baljan* taucht erst in dem eigentlichen Hildeteil auf (Str. 181), so daß man fragen kann, ob der Dichter des höfischen Epos diesen Namen selbstständig einführte, als er sich entschloß, Irland zur Heimat Hagens zu machen, oder ob *Baljan* aus dem vorhöfischen Hildeepos entnommen wurde. Im ›Dukus Horant‹ findet sich der Name nicht. Wohl aber ist dort *Etene* (= Hetel) König von Dänemark. Das stimmt auffallend zu der Vermutung, daß *Eyerlant* ursprünglich einen Teil der jütischen Halbinsel bezeichnet haben muß. Lagen im vorhöfischen Hildeepos etwa sowohl Hagens als auch Hetels Reich dort? Hagen wird schon von Saxo als ein Kleinkönig der Jüten bezeichnet, Hetel als Norweger. Vielleicht haben wir auch wieder einen Schauplatzwechsel vom vorhöfischen Hilde-Epos zum höfischen Kudrun-Epos zu vermuten. Lag Hagens Reich im spielmännischen Hilde-Epos an der Scheldemündung, wo sich ja auch der Wülpensand befindet? War seine Residenz *Kassiane,* das man gerne mit dem ebenfalls in der Scheldemündung gelegenen *Ca(e)dsant* in Verbindung bringt? Dort befand sich sogar eine Benediktinerabtei (vgl. Str. 909). Eine in der Nähe befindliche *Ormanskapelle* erinnert an das Ormanielant der ›Kudrun‹.

Der Dichter des Kudrunepos' konnte die hier vermutete Lokalisierung von Hagens Reich im vorhöfischen Hilde-Epos nicht gebrauchen; denn wenn er im Kudrunteil den nordfriesischen Schauplatz durchsetzen wollte, mußte Hagens Reich entweder ebenfalls im Hosteinischen liegen oder weit weg, so daß von dort keine Hilfe zu erwarten ist, als Kudrun entführt wird. Unmöglich wäre es, Hagens Reich an der Scheldemündung zu lokalisieren, Kudruns Gefangenschaft aber in der Normandie, also in direkter Nachbarschaft des Reiches ihres Großvaters. Damit würde auch die Schlacht auf dem Wülpensant in einem den Hegelingen verbündeten Land stattfinden.

Allein durch die Kontamination von Hilde- und Kudrunsage ergaben sich also anscheinend für den Dichter des Epos erhebliche Schwierigkeiten in der Lokalisierung. Denkbar ist es, daß er aus dem vorhöfischen Hilde-Epos den Namen der Residenz *Kassiane* (= Ca(e)dsant) entnahm und ihn für die Gegenpartei der Kudrunsage verwendete, indem er die Burg des Normannen Ludwig mit diesem Namen belegte. Vielleicht war tatsächlich mit *Ca(e)dsant* der Name *Ormanielant* verbunden, so daß er – es als Normandieland deutend – diese Umbenennung nicht ohne Berechtigung glaubte.

Vor diesem komplizierten Hintergrund muß man die bekannte Polemik der Str. 288 sehen. Wenn das *Polay* der Handschrift wirklich auf Polen zu deuten ist, dann ist die Ablehnung des Dichters natürlich leicht zu erklären. Aber es kann auch sein, daß hier der Name irgend einer anderen Version der Hildesage auftaucht, ohne daß sich etwas Genaueres darüber aussagen ließe.

H. Rosenfeld hat gezeigt, daß sich zu allem anderen auch noch „Gegenwartsnamen" aus der Zeit und dem geographischen Umkreis des Dichters der ›Kudrun‹ im Text der Dichtung zu befinden scheinen.

Man kann das Problem der geographischen Angaben der ›Kudrun‹ jedenfalls nur zu lösen hoffen, wenn man geduldig einerseits nach weiteren Identifizierungsmöglichkeiten sucht, andererseits sorgsam die einzelnen Sagenschichten und ihre Lokalisierungen auseinanderhält. Auffällig ist es jedenfalls, daß die mhd. ›Kudrun‹ gegenüber den vermuteten spielmännischen Epen eine andere Anordnung der Schauplätze durchsetzt und damit so unbekannte Namen wie *Morlant, Karade, Salme, Gustrate,* die wir für nordfriesisch halten, im Text eines oberdeutschen Epos bewahrt. Das deutet auf eine nordfriesische Sonderquelle, die der Dichter der ›Kudrun‹ oder der Dichter der Quelle des Kudrunteils für so wichtig und richtig hielt, daß er ihre Lokalisierung zur Grundlage der gesamten Handlung machte.

Literatur:

K. Müllenhoff, Dt. Altertumskunde, Bd 4, 1900, S. 676ff.

A. Sach, Das Herzogtum Schleswig in seiner ethnographischen und nationalen Entstehung, 3 Bde, 1896–1907.

R. Meissner, Gustrate, in: ZfdA 60 (1923), S. 129–147.

Th. Frings, Zur Geographie der Kudrun (m. e. Karte): 1. Wulpen und Hedinsee. 2. Gustrate, in: ZfdA 61 (1924), S. 192–196.

E. Bauer, Die Moringer Mundart, 1925. (Germ. Bibl. 14.)

J. W. Vorrink, Die Urgudrun, in: Levende Talen 39 (1964), S. 603 bis 645.
D. Blamires, The Geography of Kudrun, in: MLR 61 (1966), S. 436–445.
H. Rosenfeld, Die Kudrun: Nordseedichtung oder Donaudichtung? in: ZfdPh. 81 (1962), S. 289–314.

2. *Sagengeschichtliche und quellenkritische Analyse*

Neben der mecklenburgischen Prosafassung und der Erzählung von Jasmins Leiden wurde vor allem Ariosts Erzählung von Olympia und Bireno als Repräsentant einer Dichtung angesehen, die vom Dichter der ›Kudrun‹ für den Hauptteil seines Werkes als Quelle verwendet wurde. Der Vergleich mit den genannten Texten zeigt jedoch, daß bei aller Ähnlichkeit im gesamten Handlungsverlauf ausgerechnet die Motivkette, der das Epos seine Berühmtheit vornehmlich verdankt, nicht aus ihnen entnommen sein kann: Kudrun als Wäscherin. Der Kudrundichter scheint diese Szenen einer anderen Quelle zu verdanken, und zwar muß sie einer Dichtung der dritten Sagenfassung entstammen, in der die verschleppte Königstochter in einem Moment tiefster Erniedrigung von ihrem Befreier getroffen, befragt und erlöst wird. Es hat den Anschein, daß der Kudrundichter diese Kernszenen einer Nebenquelle (nach der dritten Sagenfassung) in das Handlungsgefüge seiner Hauptquelle, die die fünfte Sagenfassung gestaltete, einfügte.

Zum erstenmal wird diese Nebenquelle in der 24. Aventiure deutlich faßbar. Als Kudrun und Hildburg am Strand stehen und waschen, naht ein Vogel, der sich als Bote von Gott zu erkennen gibt und Kudruns viele Fragen geduldig beantwortet. Von Ortwîn und Herwîc meldet er:

> die sach ich in den ünden ûf des mêres muoder;
> die ellenthaften degene zugen vil gelîche an einem ruoder. (Str. 1174)

Diese Beschreibung paßt schlecht zu dem, was uns sonst von der Flotte der Hegelinge berichtet wird, in der sich die königlichen Befehlshaber kaum auf die Ruderbank gesetzt haben dürften. Hier werden wohl die Verhältnisse der vermuteten Dichtung der zweiten Sagenstufe sichtbar, in der die Befreier allein, ohne Heer, ins Land der Feinde fahren. Das bestätigt die Mühe, die der Dichter darauf verwendet, Herwig und Ortwin vom Heer zu lösen und sie zunächst allein Kudrun begegnen zu lassen (vgl. Str. 1154ff.). Die Schilderung ihrer Ankunft als Kundschafter fügt sich genau zu dem Bild der zwei in einem Boot heranrudernden Männer, das die Prophezeiung des Vogels enthielt:

Dô si gewarten lange, dô sâhens ûf dem sê
zwêne in einer barken und ander niemen mê. (Str. 1207)

Der Bericht von der Ankunft des oder der Befreier entspricht dem, was wir aus Südeli- und Meererinballaden kennen. Auch das Gespräch Kudruns mit ihren Befreiern weist dort wiederkehrende Motive auf: der *guoten morgen*-Gruß des Verlobten (Str. 1220 = Meererinballaden), das Gold des Bruders, das ursprünglich Lohn für die erbetene Liebesgunst der Magd war, hier im mhd. Epos lediglich *miete* für die gewünschten Auskünfte sein soll, die stolze Ablehnung der Königstochter (Str. 1224f. = Südeliballaden), die Ringe der Verlobten als Erkennungszeichen (Str. 1246–1250 = Meererinballaden).

Im Gegensatz zur spielmännischen ›Kudrun‹ (vgl. Ariost) folgt unser Epos aber dieser Quelle nicht darin, daß die Gefangene nun sofort ins Boot der Befreier genommen und über das Meer in die Heimat gebracht wird. Deutlich läßt die Auseinandersetzung zwischen Herwig und Kudrun einerseits und Ortwin andererseits erkennen, daß der Dichter bewußt gegen seine beiden Quellen (= vorhöfische ›Kudrun‹ und Lied der dritten Sagenfassung), die hierin zusammengehen dürften, argumentiert und seine Änderung zu begründen versucht (Str. 1255 bis 1264).

Diese Veränderung war für ihn notwendig, weil die heimliche Rückentführung jene Konstellation verhindert hätte, in der Kudrun während des Kampfes der beiden Heere und nach der Niederlage der Normannen ihre verzeihende Güte gegenüber ihren Feinden offenbaren kann.

Der Handlungsverlauf der Nebenquelle wird erst wieder für die Ankunft im Hegelingenland bestimmend. Kudruns Mutter steht ratlos vor den ihr entgegentretenden Frauen, weil sie nicht sieht, welche davon ihre Tochter ist (Str. 1575f.). Da Kudrun bei ihrer Entführung bereits erwachsen war, wird man kaum glauben, daß sie sich selbst in vielen Jahren der Gefangenschaft so verändert hat, daß nicht einmal die eigene Mutter sie erkennt. Dasselbe gilt für die Begegnung von Herwig, Ortwin und Kudrun. Auch hier ist es aus dem Handlungszusammenhang nicht recht verständlich, daß sie sich nicht erkennen. Dieser Widerspruch erklärt sich erst, wenn man die Einwirkung der Nebenquelle voraussetzt. Dort wurde die Königstochter bereits als Kind entführt (vgl. ›Waltharius‹ und Balladen). Diesen Zug konnte der Dichter des höfischen Epos’ nicht gebrauchen, da er die Werbungsgeschichten ausgeschlossen hätte. So benutzte er das Motiv, ohne es hinreichend in seinem Handlungszusammenhang glaubhaft machen zu können.

Aus den Widersprüchen in der Handlung der ›Kudrun‹ und aus den sagengeschichtlichen Gegebenheiten lassen sich also zwei Quellen bestimmen, die der Dichter für den Kudrunteil benutzte. Wir konnten die Analyse hier nur in groben Umrissen durchführen, doch scheint es, daß die eine Quelle ein spielmännisches Kudrunepos, die andere aber eine liedhafte Quelle war, deren Personal noch auf die Hauptgestalten beschränkt blieb; sie gleicht in ihrem Handlungsverlauf den Südeli- und Meererinballaden sowie der Sagaversion.

Diese Quellenmischung im Kudrunteil wird durch die geographischen Angaben bestätigt. Aus diesen ließen sich zwei Schichten erkennen, von denen die eine aus einer ausgesprochen nordfriesischen Quelle stammen kann, wenn die Namen Gustrate, Karade, Morlant, Ortlant zu Recht als Bezeichnungen des nordfriesischen Raumes gedeutet wurden.

Es bleibt vorerst ein Geheimnis, wie der oberdeutsche Dichter zu dieser Quelle kam, und ob er sie direkt oder indirekt benutzte oder vielleicht die Kontamination fertig in einer Quelle vorfand. Doch war schon immer klar, daß friesische oder zumindest niederdeutsche Vermittlung vorausgesetzt werden muß, weil der Name der Heldin in der Form *Chautrun* < *Chudrun* > *Gūþrun* dazu zwingt.

Der Hildeteil scheint ganz auf dem erschlossenen vorhöfischen Hilde-Epos zu basieren, nur wurde der Schauplatz vom Dichter der ›Kudrun‹ verändert (vgl. o. S. 55 f.). Auf andere motivliche Unterschiede wurde schon oben S. 18f. hingewiesen.

Interessant ist die Vorgeschichte des Hildeteils, Hagens Jugendtat. Vermutlich ist sie erst vom letzten Epiker dem Werk hinzugefügt worden; denn der ›Dukus Horant‹, den wir als Zeugen für das spielmännische Hildeepos in Anspruch nahmen, zeigt keine Spur davon. Hagens Verherrlichung in einer jugendlichen Heldentat wurde wohl auch erst nötig, als er nicht mehr unter Aufgabe seines Lebens um seine Ehre kämpfte, sondern dem Versöhnungsangebot seiner Tochter zustimmte.

F. PANZER hat die Motive dieses Teils der ›Kudrun‹ in den verschiedensten mittelalterlichen Werken wiedergefunden. Vielleicht blieb dabei aber zu sehr außer acht, daß sich die Grundstruktur dieser Geschichte aus der Kudrunsage verstehen läßt: Ein Kind wird seinen Eltern in frühester Jugend geraubt. Als es nach vielen Jahren der Abwesenheit wiederkehrt, bedarf die Mutter eines Erkennungszeichens, um in dem jungen Mann ihren als kleinen Knaben entführten Sohn wiederzuerkennen (Str. 142–153). Diese Motivverbindung erwähnten wir bereits im Zusammenhang mit dem Einfluß der Nebenquelle des Kudrunteils. Hat der Dichter – neben anderen Gründen – Motive daraus für die Hagenerzählung verwendet, weil er auf sie in seinem Hauptteil weitgehend verzichten mußte?

Literatur:

vgl. die Hinweise auf S. 47 ff.

3. Literarhistorische Probleme

Eine Frage führt sofort ins Zentrum und ist in der Forschung immer wieder als zentral verstanden und gestellt worden: Ist die ›Kudrun‹ überhaupt ein Heldenepos? Ist sie von heroischem Geist getragen, so wie es beim ›Nibelungenlied‹ ja fraglos trotz aller Einflüsse der höfisch-ritterlichen Kultur des 12./13. Jhs der Fall ist? Zu einer verneinenden Antwort neigen vor allem jene Forscher, die nicht daran glauben, daß der Hauptteil des Werkes, die Erzählung von Kudruns Schicksal, bis in germanische Zeit zurückreicht. Lediglich der Hildeteil und allenfalls einige heroische Motive des Kudrunteils müssen es dann rechtfertigen, wenn die ›Kudrun‹ zu den mhd. Heldenepen gestellt wird.

In dieser Hinsicht geht wohl HERMANN SCHNEIDER am weitesten, wenn er – ganz FRIEDRICH PANZERS Ansichten über die Quellen des Kudrunteils folgend – in seiner »Germanischen Heldensage« (Bd 1, S. 376) zu dem Ergebnis kommt, daß der Geschichte Kudruns das Ritterliche des hochmittelalterlichen Romans ebenso abgehe wie das Heroische einer altgermanischen Liedfabel. FRIEDRICH NEUMANN vermißt in ähnlicher Weise das heroische Element im Kudrunteil, so daß er die ›Kudrun‹ nicht als eine echte Heldensaga ansprechen möchte, in der eigenwüchsigen Naturen das Leben zum Schicksal wird, sondern nur insofern ein Heldenepos nennen, als dadurch der Unterschied von der streng höfischen Rittererzählung angedeutet werden soll. Er gesteht zwar zu, daß es in der ›Kudrun‹

„heldisches Aufrecken" gibt, sieht aber alle gefährlichen Spannungen immer wieder durch eine gewisse Märchenkausalität aufgelöst (Verf. Lex., Bd 2, Sp. 969f.). Andere Forscher sehen aber in Kudruns standhaftem Ausharren den heroischen Kern des Kudrunteils (J. SCHWIETERING, H. DE BOOR, L. WOLFF), und in jüngster Zeit werden sogar die Versöhnungsszenen des Schlusses nicht mehr als sentimentale Entgleisung eines Dichters empfunden, der für die Gattung des Heldenepos kein rechtes Empfinden besaß, sondern vielmehr als eine Aussage, die seiner Sicht, seiner Zeit und seinen Idealen entsprach, so daß dann das ganze Werk in eben diesen Schlußszenen gipfelt. Neben LUDWIG WOLFFS Aufsatz ist hier vor allem die Arbeit von A. BECK wichtig.

Wie ist das Problem von dem oben S. 9ff. skizzierten sagengeschichtlichen Ansatz aus zu sehen? Ist die Urfabel der Kudrunsage, die wir aus den Herborgstrophen des ersten Gudrunliedes und aus den Finnsburgversen des ›Beowulf‹ erschlossen haben, in ihrem Kern heroisch oder nicht? Nach einer Formulierung von H. DE BOOR geht es der heroischen Dichtung – und zwar dem germanischen Heldenlied ebenso wie dem mhd. Heldenepos – „um die Selbstbehauptung der sittlichen Persönlichkeit in einer schicksalhaft-unausweichlichen Lage, wobei der letzten Konsequenz, dem Einsatz des Lebens nirgends ausgewichen wird. ... Die heroische Dichtung sieht ihren Helden am strahlendsten gerade im heroischen Untergang" (Lit. Gesch., Bd 2, 4. Aufl., S. 153). Diese Formulierung ist im Hinblick auf das ›Nibelungenlied‹ gesagt, also besonders auf die Sage vom Untergang der Burgundenkönige, in der wir heroisches Wesen am besten zu fassen vermögen. Was uns dort als heroisch entgegentritt, das ist im Wesentlichen an Männer geknüpft. Es gibt aber natürlich auch eine weibliche Ausprägung heroischen Lebens und Handelns.

Das zeigt sich an der ›Kudrun‹. Während der Mann sogar in aussichtslosestem Kampf dadurch immer noch über sich selbst bestimmen kann, daß er bis zum Tod kämpft und sich damit der Hand seiner Feinde entzieht, ist der Frau, der körperlich dem Mann Unterlegenen und zumeist Waffenlosen, nur zu leicht dieser Ausweg versagt. Hier finden wir den Ansatz der Kudrunfabel. Das Urlied erzählte vermutlich von einer Frau, deren Sippe im Kampf vernichtet wurde, so daß sie selbst – die nicht in den allgemeinen Untergang mithineingerissen wurde – in die Hand der Feinde fiel. Das Problem, dessen dichterische Gestaltung den Verfasser des Urliedes reizte, können wir etwa in folgende Frage fassen: Wie kann sich heroische Selbstbehauptung einer sittlichen Persönlichkeit in der ausweglosen Lage der Gefangenschaft, die sogar den Ausweg eines heldischen Todes weitgehend nicht zuläßt, bewähren? Jede Gefangenschaft birgt für eine Frau über die auch dem Mann drohenden Entbehrungen und Erniedrigungen hinaus die besondere Gefahr der brutalen Zerstörung ihrer personalen Würde, wenn ihr Gewalt angetan wird. Ging es dem Dichter des Urliedes vielleicht darum, die heroische Selbstbehauptung in dieser Situation zu zeigen? Im Falle der Kudrun, die uns aus allen Dichtungen als wahrhaft groß, würdig und stolz entgegentritt, bliebe nach einem solchen Geschehen vermutlich nichts anderes übrig, als ihren schnellen, vielleicht sogar selbst verursachten Tod zu schildern; denn eine rein geistige Bewältigung dieser tiefsten Erniedrigung dürfen wir für die germanische Zeit nicht erwarten.

So werden wir die Urform der Fabel und damit das heroische Geschehen eher in dem zu suchen haben, was in den Herborgstrophen kenntlich wird und in späterer Kudrundichtung wieder erscheint: Die Eifersucht der Königin und Herborgs Zeugnis, daß sie nie einen lieberen Herrn hatte als ihren Feind, den König, könnten darauf hindeuten, daß schon in den ersten Anfängen der Sage die Gefangene von einem Mann begehrt wurde. War es der Wunsch des Königs, sie als Kebse zu gewinnen? Das könnte die Eifersucht der Königin verständlich machen. Wenn aber Herborg dem König ein solches Lob aussprechen kann, dann läßt das – immer unter der Voraussetzung, daß der hier entwickelte Ansatz schon im Urlied vorhanden war, – darauf schließen, daß er vielleicht jenen Antrag stellte, daß er aber, einmal abgelehnt, die Menschenwürde seiner Gefangenen respektierte. Demgegenüber versuchte die bösartige Königin die Gefangene durch Herabdrücken ihres Standes zu erniedrigen.

Die hier angesetzte Konstellation besteht also zunächst darin, daß die Heldin und der männliche Feind einander ebenbürtig sind und sich – trotz der Unmöglichkeit, den Willen des anderen zu erfüllen –, die Achtung voreinander bewahren. Dagegen ist die weibliche Gegenspielerin, die, ständisch gesehen, ebenbürtige Königin, der Heldin unebenbürtig, so daß ihre Handlungsweise die Verachtung der Heldin herausfordern muß.

Dieselbe Konstellation finden wir noch im höfischen Epos des 13. Jhs. Auch hier ist der männliche Gegenspieler (= Hartmut) der „edle" Feind, so schwer auch Taten wie Überfall und

Entführung zu rechtfertigen sein mögen. Daß Kudrun sein Wesen als ihr selbst gleichartig anerkennt, kommt an vielen Stellen zum Ausdruck, am sinnfälligsten aber am Schluß, als sie ihm ihre engste Vertraute, die wie sie aus königlichem Geschlecht stammt und die ihre untadelige Gesinnung in der Gefangenschaft bewiesen hat, zur Gemahlin gibt.

Wo liegt in dieser Konstellation das heroische Element? Es liegt darin, daß eine Frau bereit ist, ihre Menschenwürde um keinen Preis zu verkaufen, daß sie als Königin lieber den niedrigsten Magddienst auf sich nimmt, der ihre Würde nicht verletzen kann, als sich durch eine unehrenhafte Hingabe irgendwelche materiellen Vorteile zu verschaffen. Im mhd. Epos ist das in folgenden Strophen am klarsten faßbar:

Dô sprach aber Ludewîc: 'lât iu niht wesen leit:
minnet Hartmuoten, den recken gemeit.
allez daz wir sîn habende, daz wellen wir iu bieten.
ir müget iuch mit dem degene êre unde wünne noch genieten.

Dô sprach diu Hilden tohter: 'wan lât ir mich ân nôt?
ê ich Hartmuoten naeme, ich wolte ê wesen tôt.
im waer ez von dem vater geslaht, daz er mich solte minnen,
den lîp wil ich verliesen, ê ich in ze vriunde welle gewinnen.
(Str. 958, 959)

Von der Handlungsführung der mhd. ›Kudrun‹ aus ist dieser Ansatz etwas schwer zu erkennen, weil der Königstochter ja keineswegs irgendeine entehrende Bindung zugemutet wird, sondern eine ehrenvolle und rechtmäßige Ehe. Aber die Voraussetzung dafür wäre ein Wortbruch, der ebenso zur Selbstaufgabe der personalen Würde führen würde, wie die Einwilligung in ein unehrenhaftes Konkubinat.

So wie Hartmut als Kontrastfigur Gerlint zur Seite gestellt wurde, so der nach den Gesetzen des heroischen Menschen lebenden Kudrun die des unheroischen in der Gestalt der Hergart, die sich den Leiden der Gefangenschaft entzog, indem sie mit *des küneges schenken hôher minne pflac* (Str. 1093). Die Erkenntnis des unheroischen Wesens der Gefährtin stürzt Kudrun in Trauer (1094), am Schluß aber erfüllt sie gerechter Zorn, da Hergart über die Unfähigkeit zum heroischen Handeln hinaus zum Verrat an den Freunden fähig war, denen zu helfen sie unterließ (1515). Auch hier ist Wates Strafgericht der Ausdruck moralischer Verurteilung durch den Dichter (1527/28).

An der Kudrungestalt des mhd. Epos' sind aber nicht nur

die Wesenszüge hervorstechend, die zur heroischen Selbstbehauptung zwingen, sondern ebensosehr solche, die sie zur Achtung des Feindes, zum Nachgeben, Verzeihen und Versöhnen befähigen. Gerade diese Wesenszüge empfinden wir natürlich als modern, unheroisch, und erst der christlichen Gesinnung höfisch-ritterlicher Kultur entsprungen. Aber schon in der oben vermuteten Konstellation der Urfabel liegt auch der Ansatz für diese Elemente. Hier tritt uns der Typus des ebenbürtigen Feindes entgegen, der selbst die Achtung vor seinem Gegner bewahrt und dem gerade dadurch die Achtung des Gegners zuteil wird. Es ist ein in der heroischen Dichtung – vor allem in der Dietrichsage – häufig vorkommender Gestaltentyp; denn so wie die heroische Selbstbehauptung darin besteht, dem Menschen die Selbstachtung und Würde des eigenen Wesens zu erhalten, ist es ein anderer Zug einer solchen Persönlichkeit, auch beim Gegner die Größe heroischer Gesinnung zu erkennen, zu ehren und zu respektieren. Aber es scheint, daß das germanische Heldenlied bei diesem Ansatz der Hinwendung zum anderen, und sei es zum Gegner, stehenblieb; denn eine Ethik, die auf dem Rachedenken basiert, also auf der Verpflichtung, den Schuldigen durch das zu bestrafen, wodurch er schuldig wurde, die Größe der Schuld also durch die Größe der Strafe auszugleichen und nicht bereit zu sein, dem Gegner zu vergeben, ihm die Strafe ganz oder teilweise zu erlassen, muß notwendig die rächende und damit die Weltordnung wiederherstellende Tat als sittliche Notwendigkeit fordern. So wird auch in den ersten Liedern, die von der Befreiung der Heldin erzählten, am Ende vermutlich der Vollzug der Rache gestanden haben, die den König ebenso wie die Königin traf; denn er war schuld am Untergang der friesischen Königssippe, sie aber an dem Versuch, die Würde der Königstochter durch die Erniedrigung zur Magd zu beeinträchtigen.

Schon immer hat man gesehen, daß Wate der Träger der germanischen Rache-Ethik ist. Für ihn ist der Vollzug der Rache eine ebenso heilige Pflicht dem Gesetz gegenüber wie dem modernen Denken die gerichtliche Verurteilung und Bestrafung des Verbrechers (Str. 1519). Aber in der Übersteigerung von Wates erbarmungslosem Wüten liegt zugleich ein deutlicher Hinweis darauf, daß der Dichter dies als zu überwindende Rechtsform einer vergangenen Zeit wertet. Kudrun selbst ist über das Rachedenken und damit über die germanische Ethik hinausgewachsen. Sie nimmt Gerlint in ihren Schutz, obwohl diese kurz vorher versuchte, Kudrun zu ermorden, und obwohl sie sich nicht einmal zu einem Schuldbekenntnis durchzuringen vermag (Str. 1517, 1518). Bei Gerlint kann Kudrun dem tobenden Wate gegenüber ihren Schutz nicht voll wirksam werden lassen; aber vorher schon hat sie Hartmuts Leben durch ihr Eingreifen gerettet (Str. 1479–1482), und sie setzt dieses Werk der Versöhnung fort, indem sie ihre Mutter zwingt, Ortrun nicht als Gefangene, sondern als Gast in ihr Haus aufzunehmen (1579ff.). Die Versöhnung wird dadurch vollendet und befestigt, daß die streitenden Parteien durch Ehen miteinander verbunden werden (1619ff.), so daß der Dichter feststellen kann:

Ich waene als grôziu süene nie wart als tete daz kint.
(1644, 1)

Kudrun verkörpert hier geradezu die christlichen Ideale der Vergebung und Feindesliebe.

Wie verträgt sich das mit den aus dem germanischen Heldenlied ererbten Vorstellungen von der heroischen Selbstbehauptung und der Rachepflicht? Hat das starke Hereinnehmen christlicher Ideen nicht den heroischen Kern der Sage verfälscht?

Es ist für die christliche Lehre bezeichnend, daß sie nicht einen absoluten Neuanfang setzte, sondern auf Vorhandenem aufbaute. Das können wir auch in unserem Teilgebiet, der Kudrunsage beobachten. Heroische Selbstbehauptung verstanden als Bewahrung der eigenen Menschenwürde ist für den Christen nichts Verwerfliches, sondern im Gegenteil unbedingte Voraussetzung aller menschlichen Größe. Dafür bietet nicht nur Christus selbst das beste Beispiel, der sein Königtum vor Pilatus bekennt und dafür in den Tod geht, sondern ebenso die Fülle christlicher Heiligen- und Märtyrerlegenden, in denen menschliche Größe und Selbstbehauptung ebenso wie im germanischen Heldenlied verherrlicht werden, wenn auch meist in der speziell christlichen Ausprägung, daß der Mensch mit der Preisgabe seiner Bindung an die christliche Religion oder an ein von ihm als Christ bejahtes Ideal zugleich seine personale Würde verlieren müßte. Heroische Selbstbehauptung ist also keineswegs widerchristlich, sofern sie nicht gegen die Gebote christlichen Handelns verstößt.

Wie steht es mit der germanischen Rachepflicht? Wir müssen sie als frühe Form der Rechtspflege verstehen, die durch das Fehlen einer überindividuellen Instanz weitgehend in die Hand des Einzelnen und der Sippe gelegt war. Der Rächende verschafft durch die Rachetat in erster Linie dem Recht an sich Geltung. Erst in zweiter Linie ist es von Interesse, daß es *sein* Recht ist; denn wer hätte beim Fehlen einer überindividuellen Gerichtsbarkeit Interesse daran, die Strafe durchzuführen, wenn nicht der Geschädigte selbst? Weder gerechte Verurteilung noch Strafe sind widerchristlich, wenn auch die überindividuelle Instanz dem Christentum von einer höher entwickelten Stufe des menschlichen Zusammenlebens aus als notwendig erscheinen muß und jeder individuelle Rache-(=Straf-)vollzug als verwerflich. Ein christlicher mittelalterlicher Dichter dürfte aber wohl in der Lage gewesen sein, die Rachehandlung als zwar für seine Zeit veraltete, aber einstmals gültige Rechtsform zu verstehen, die man als solche in einem aus germanischer Zeit stammenden Stoff respektieren kann.

Entgegen der heroischen Selbstbehauptung und der Rachepflicht als früher Form der Rechtspflege sind aber wohl das Erbarmen den Schuldigen gegenüber und die Verzeihungs- und Versöhnungsbereitschaft, durch die der Schluß der ›Kudrun‹ so eindeutig geprägt ist, spezifisch christlich. Hier wird von Kudrun verlangt, daß sie nicht allein die eigene Menschenwürde und die des als ebenbürtig erkannten Gegners achtet, sondern auch die der unheroischen, ja treulosen Gefährtin und der bösartig hassenden, zum Mord entschlossenen Feindin. Wie kommt es, daß sich diese spezifisch christlichen Züge so nahtlos mit den germanischen verbinden können?

Wir haben gesehen, daß ein Ansatz für die Hinwendung zum anderen, die ihn in seiner Andersartigkeit erkennt und nicht nur bestehen läßt, sondern sogar achtet, schon in den Herborgstrophen der ›Edda‹ zu erkennen ist. Von der Achtung vor dem ebenbürtigen Gegner zur erbarmenden Hinwendung zum nicht ebenbürtigen Gefährten und Feind, ja zum Verräter und Mordwilligen, ist es nur ein Schritt – freilich ein unendlich schwer zu vollziehender Schritt, um dessen erkenntnismäßige Durchdringung wir heute noch zu ringen haben. Kudrun vollzieht diesen Schritt nicht nach einer geistigen Analyse des Problems, sondern dem sicheren Instinkt ihres Herzens folgend. Daher fehlt eine Begründung ihres Handelns. Sie konstatiert Gerlints Schuld, verzeiht trotzdem und nimmt sie in ihren Schutz: *iedoch stât mir dar nâher* (1518).

Es wird hinzukommen, daß in der Kudrunsage die heroische Hauptgestalt eine Frau ist. Sie war im germanischen Bereich von der direkten Rachepflicht ausgenommen. Wir haben freilich Zeugnisse dafür, daß gerade Frauen zu Bewahrerinnen des

Rachewillens werden konnten, und darüberhinaus ist Kriemhild sogar ein Beispiel dafür, daß die Frau selbst zum Schwert greifen kann und muß, wenn keine Möglichkeit mehr besteht, daß ein Mann das letzte der Rachehandlung vollzieht. Noch im ›Nibelungenlied‹ bleibt diese Konsequenz erhalten, wenn Kriemhild Hagen mit eigener Hand das Haupt abschlägt.

Hier sind wir an dem Punkt angelangt, in dem sich Kudrun- und Burgundenuntergangssage wesentlich unterscheiden: die Sage vom Untergang der Burgunden ist ihrem Kern nach Rachefabel, die Kudrunsage aber Gefangenen- und Befreiungsfabel. Wenn das christliche Element der Verzeihung und Versöhnung in die Haupthandlung der Sage vom Burgundenuntergang mehr Eingang gefunden hätte, als es im ›Nibelungenlied‹ der Fall ist, wäre die Fabel in ihrem Kern getroffen, verfälscht und damit zerstört worden. Das allein macht verständlich, weshalb alle christlichen Elemente im ›Nibelungenlied‹ so am Rande bleiben und die alten Hauptgestalten der Sage (Kriemhild, Hagen, Gunther) im Grunde gar nicht durch höfisch-ritterlich-christlichen Geist verändert wurden. Die Forschung neigt immer mehr zu der Meinung, daß der Dichter des ›Nibelungenliedes‹ ein Geistlicher war. Umso dankbarer sollten wir sein, daß er vor allem ein wirklicher Dichter war, der erkannte, wo die Grenzen für die Möglichkeit lagen, das Werk im Sinne seiner Zeit umzuformen. Er hat mit sicherer Hand die germanische Fabel überall dort unverändert erhalten, wo es für das Leben der Sage notwendig war.

Anders und doch ganz ähnlich liegt das Problem bei der ›Kudrun‹. Da die Sage ihrem Kern nach nicht Rache-, sondern Gefangenschafts- und Befreiungsfabel ist, kann das erst christliche Element der Vergebung und Versöhnung in die Haupthandlung hereingenommen werden, ohne deren Kern zu treffen und zu verändern. Soweit germanische Rachehandlung dem Dichter notwendig und erhaltenswürdig erscheint, kann sie von Nebenfiguren oder zweitrangigen Hauptgestalten getragen werden, da die Zentralgestalt, die Heldin selbst, schon immer von der Rachehandlung nicht direkt betroffen war. Gegenüber der Sage vom Burgundenuntergang, die ihrer Konzeption nach von der rächenden Frau auch noch den letzten Vollzug der Rache fordert, wird das Wesen der Frau in der Kudrunsage nicht einer solchen fast untragbaren Belastung durch das Schicksal unterzogen, sondern es wird in eine Situation gestellt, die zwar schwer zu meistern, doch dem weiblichen Menschen angemessener ist.

So bot schon die germanische Urform der Fabel manche Ansatzmöglichkeiten für christliche Elemente, die ohne die Fabel zu verfälschen so tief in die Handlung eindringen konnten, daß Kudrun von einer germanisch-heroischen Gestalt zu einer (germanisch-)christlich-heroischen umgeprägt werden konnte.

Von daher wird es auch verständlich, daß dem modernen Menschen Kudrun in ihrer Größe und ihrem Wert leichter verständlich ist als Kriemhild. Wir können sie weitgehend mit Maßstäben begreifen, die noch heute gültig sind. Bei Kriemhild dagegen ist es unbedingt notwendig, sich in vorchristlich-germanische Denkformen zurückzuversetzen, um Größe, Wert und Tragik ihres Schicksals zu begreifen. Der Vergleich von Kudrunforschung und Nibelungenforschung lehrt, daß „Modernität" kein Vorteil sein muß; denn gerade die Andersartigkeit und Unverständlichkeit der Kriemhild hat die Forschung zu immer neuen Ansätzen des Verstehens gereizt.

Auch im *Hildeteil* finden wir, wie Helga Reuschel gezeigt hat, ein heroisches Movens der Fabel. Es liegt einerseits bei der Frau und zwar in Hildes Entscheidung für den Mann, gegen den Vater, andererseits aber wohl auch bei König Hagen, der sein Recht als Vater gegen den Entführer und neuen Herrn seiner Tochter unter Einsatz seines Lebens verteidigt. In den Brautwerbungs- oder Entführungsfabeln nimmt es die Frau auf sich, in der ihr ganzes Leben bestimmenden Situation ihrer persönlichen Entscheidung gegen die Sippe zu folgen. Sie kann diesen Entschluß nicht anders verwirklichen, als daß sie – die dem Schutz und daher auch der Befehlsgewalt der Sippe untersteht – sich dem Machtbereich der Sippe durch die Flucht entzieht. Diese heroische Selbstbehauptung führt im Fall der Hilde zu einer entsetzlichen Konsequenz; denn sie muß erleben, daß die beiden ihr liebsten Männer sich im Kampf gegenseitig töten. Die nie endende Zerrissenheit einer Frau, deren Schicksal es wurde, zwischen der Sippenbindung und der persönlichen Bindung an einen geliebten Menschen zu stehen, und die Hoffnungslosigkeit, jemals diesen Konflikt lösen zu können, wäre nicht besser als in jenem Bild zu begreifen, das ursprünglich sicher nicht die blutige Gier eines Kampfdämons zeichnen sollte, sondern Hildes Verzweiflung, die sie stets von neuem die beiden geliebten Toten zum Leben erwecken läßt, um dann nur von neuem erleben zu müssen, daß der Kampf wieder erwacht, weil es keinen Ausweg aus dieser Konfliktsituation gab.

Auch in der Hildesage ist das Eindringen christlicher Elemente möglich, ohne daß die heroische Entscheidung der Frau und ihre tragische Folge, das sich im Zweikampf des Vaters und Entführers verdichtende Gegeneinander der beiden wichtigsten Bindungen eines Menschen, zerstört werden mußte. Während wir im Urlied sehen, daß der Vater nicht bereit ist, die angebotene Versöhnung anzunehmen, sondern seine Ehre mit dem Einsatz des Lebens verteidigt, ist Hagen in der mhd. ›Kudrun‹ fähig, sich zu überwinden und die gebotene Versöhnung anzunehmen (Str. 535 ff.). Wir befinden uns mit dem mhd. Epos in einer Zeit, die bereits erkannt hat, daß Verzeihen und Versöhnen, und die Achtung vor der persönlichen Entscheidung einer Frau, vor der Freiheit ihrer Person und vor ihrer Mündigkeit nichts sind, was die Größe des Mannes schmälern könnte, sondern daß sie sie im Gegenteil erhöhen, wenn sie zu anderen seelischen Werten hinzukommen.

Von hier aus verstehen wir auch den Sinn der Vorgeschichte des Hildeteils, der Erzählung von Hagens jugendlicher Heldentat. Sie ist als Ergänzung und Gegengewicht zu seinem schließlichen Nachgeben in der Brautwerbungsfabel notwendig, damit dieses nicht als Schwäche erscheint. Der Sieg über die Greifen, den der in der Wildnis heranwachsende Knabe, der jede Lehre eines erfahrenen Verwandten im Kriegshandwerk entbehren muß, dem eigenen Mut, Willen und der eigenen Umsicht verdankt, erweist Hagen als den geborenen Kämpfer, dessen Heldentum sich auch unter den größten Schwierigkeiten in seiner Entwicklung durchsetzen muß. Hier schlägt das durch, was das Mittelalter unter *art* versteht, die eingeborene seelische Gesamthaltung, die sich meist schon am jungen Helden offenbart und die sich nachher bei Hagen zur übersteigerten Härte und Kampfeslust des *wilden Hagene* auswächst.

Es ist auch kein Zufall, wenn der Dichter Hagen nicht nur sich selbst durch den Sieg über die Greifen befreien läßt, sondern auch die mit ihm gefangenen drei Jungfrauen. Das wird besonders deutlich bei der Vollendung der Befreiung, als der Graf aus Garadê die Hilfesuchenden zu seinen Gefangenen machen will:

Der grâve sprach zem kinde: ‚du muost mîn gîsel sîn:
sô sîn mîn hovegesinde diu schoenen magedîn.
diu wil ich mir ze êren haben in mînem lande.‘
diu rede dûhte Hagenen, si waere im beide schade unde schande.

Der recke sprach in zorne: ,ich wil niht gîsel wesen.
des enmuote niemen, der welle genesen.
ir guote schifliute, ir bringet mich ze lande:
des lône ich iu gerne, ich gilte mit schatze und mit gewande.

Ir muotet mînen vrouwen daz si iuwer gesinde wesen:
âne dîne helfe si mügen wol genesen.
sî iemen hie sô wîse, der volge mîner lêre.
wendet iuwer segele, daz daz schif gên Irlande iht kêre

(Str. 132–134)

Er weiß diese Forderung durchzusetzen, indem er 30 Schiffsleute ins Meer schleudert und dem Grafen selbst nur auf Bitten der drei Frauen das Leben schenkt.

Der Sinn dieser Episode enthüllt sich vom Kudrunteil her. Dort gerät Kudrun in Gefangenschaft, weil kein Mann zur Stelle ist, der fähig wäre, sie davor zu bewahren. Hier erweist sich bereits der Knabe Hagen als so hervorragender Held, daß es ihm sogar in der überaus schwierigen Situation, in der er sich befindet, möglich ist, sich selbst und den drei Jungfrauen nicht nur das Leben zu retten – das bietet der Graf ja jedenfalls an – sondern sogar die Ehre. Schmach und Schande, die für die Menschen aus königlichem Geschlecht die Einwilligung in ein unfreies Leben als *gîsel* und *hovegesinde* nach germanisch-mittelalterlicher Anschauung bergen würden, können durch Hagen abgewendet werden. Das zeigt, wie sehr er geeignet ist, den Schutz (mhd. *munt*) für edle Frauen zu übernehmen. Das wiederum findet seinen dichterischen Ausdruck darin, daß eine der drei königlichen Jungfrauen sich gern unter seinen Schutz als Eheherrn stellt. Wenn sich seine eigene Tochter Hilde später seinem väterlichen Schutz entzieht, dann warnt Hagens Jugendtat davor, den Grund für Hildes Entscheidung in irgendeiner Unzulänglichkeit des väterlichen Schutzes zu suchen. Die Verherrlichung Hagens in der Vorgeschichte läßt also einerseits Hildes Kampf um die Freiheit ihrer Person um so unverfälschter hervortreten, andererseits aber auch Hagens gegenüber dem Urlied, ja sogar gegenüber dem Anfang und einer großen Strecke des Hildeteils erheblich weiter entfaltete Persönlichkeit, in der zu Umsicht, mutiger Bewahrung der Selbstachtung nun auch die gütige, sich selbst bescheidende Hinwendung zum anderen Menschen, hier zur eigenen Tochter, tritt.

An der Entwicklung der Hilde- und stärker noch der Kudrunsage wird deutlich, daß wir sie nicht nur stoff- und ideengeschichtlich betrachten müssen, sondern auch als Entfaltung von Bewußtseinsstufen des menschlichen Geistes. Schritt für Schritt bewältigt der Mensch das Problem der Divergenz von heroischer Selbstbehauptung und liebender Bewahrung des anderen, so daß die tragische Kapitulation vor der Lösung – wie sie etwa am Anfang der Hildesage steht – durch die erkenntnismäßige Durchdringung, deren Folge die Versöhnung ist, ersetzt werden kann.

Dem Dichter der mhd. ›Kudrun‹ muß diese wichtige seinserhellende Aufgabe der Heldendichtung bewußt gewesen sein; denn nur so verstehen wir seine Themenwahl und die Umarbeitung der Stoffe gegenüber seinen Quellen. Nur so wird aber auch die Komposition des Werkes verständlich. Wir sagten, daß Hilde- und Kudrunsage innerhalb der Handlung des höfischen Epos' nicht in logische Abhängigkeit voneinander gebracht, sondern lediglich genealogisch verknüpft wurden. Gerade hierin muß man aber wohl einen ausgeprägten Kunstverstand erkennen; denn dasselbe Thema kann nun in verschieden weitgehender Konsequenz durchgeführt und vorgeführt werden. Hilde setzt für die Bewahrung ihrer persönlichen Entscheidungsfreiheit alles aufs Spiel – aber sie ist im geeigneten Moment zu neuer jetzt eingeschränkter Wiederanerkennung der Sippenbindung bereit, während Hagen, die Entscheidungsfreiheit der Tochter respektierend, Verzeihung gewährt. In beiden Fällen ist die zu leistende Selbstüberwindung nicht allzu groß, weil es sich um in Liebe verbundene engste Sippenangehörige handelt. Kudrun bewahrt ebenfalls in höchster heroischer Anspannung ihre personale Würde und Entscheidungsfreiheit – auch sie ist, als die Zeit dafür gekommen ist, sofort bereit zu verzeihen –, aber von ihr wird gefordert, daß sie ihrer ärgsten Feindin verzeiht. Weder Wate noch Hilde, die Vertreter der älteren Generation, können Kudruns Verzeihungsbereitschaft der feindlichen Sippe gegenüber verstehen, die der eigenen Sippe so viel Unheil antat. Sie müssen erst langsam dazu erzogen werden, großmütige Güte nicht mit Schwäche zu verwechseln. Von der jungen Generation (Hartmut, Ortwin, Herwig, Sivrit von Morlant) wird das viel leichter begriffen bzw. selbstverständlich geübt (Ortrun). So wird das in der jüngsten Kudrunforschung viel besprochene Generationsgefälle innerhalb des Epos zur letzten Ausformung und zur Vollendung der in beiden Sagen vollzogenen Entfaltung des Selbstverständnisses menschlichen Geistes.

Die beiden kurz beschriebenen Werbungen des Anfangs zeigen demgegenüber die Basis, von der aus die anderen beiden Schicksale erst in ihrer Außerordentlichkeit verstanden werden können. Sigebant kann seine Ehe in vollem Einverständnis mit beiden beteiligten Sippen vollziehen. Hagens Geschichte, die schließlich auch zu einer Ehe führt, erweist die Notwendigkeit und den Wert männlichen Schutzes für die Frau. Aus der Gegenüberstellung mit seiner Tochter Hilde wird aber deutlich, wo die Grenzen der aus dem männlichen Schutz entspringenden Gehorsamspflicht liegen. Mit Hagens Anerkennung dieser Grenzen seiner Macht hat Hetels und Hildes Werbungsgeschichte ihren Sinn erfüllt. Kudruns unerbittlicher Widerstand gegen Hartmuts Werbung nimmt dasselbe Thema in leichter Variation auf, wenn hier selbst die Respektierung des freien Willens der Gefangenen verlangt wird. Dazu tritt aber auch Kudruns Wendung gegen die eigenen Sippenangehörigen, wenn es die Anerkennung der menschlichen Würde, selbst der des Feindes, erfordert, so daß daraus Versöhnung entstehen kann.

Mit A. Beck ist allerdings darauf hinzuweisen, daß häufig genug die bedeutsamen Ansätze des Epos' nicht voll gereift sind. Vieles bleibt widersprüchlich, manche Gestalt ist nicht gut durchgezeichnet, aber einiges könnte sicher durch Einzelinterpretationen besser verständlich gemacht werden, so vor allem Kudruns Haltung gegenüber Wate, der in seiner dämonisch verzerrten Übersteigerung wie ein übermenschlicher Richter die Träger des Unrechts vernichtet.

Die ›Kudrun‹ ist eine Dichtung der höfischen Zeit. Frauendienst, Feste und Turniere, das Hofleben mit seinem sorgfältig beachteten Zeremoniell, ritterliche Fairness im Kampf – alle diese Elemente sind vorhanden; aber sie sind nicht so vorherrschend wie etwa im ersten Teil des ›Nibelungenliedes‹. Auch hier fehlen noch Einzeluntersuchungen, die die Verteilung des Höfisch-Ritterlichen innerhalb der Handlung untersuchen und die es auch in seinem Verhältnis zum ›Nibelungenlied‹ und zur Dietrichepik genauer bestimmen.

Ein neues Arbeitsgebiet für die Kudrunforschung tut sich auf, wenn man die historische Komponente, auf die die Mittelalter-Philologie wohl nie verzichten sollte, nicht in die Beobachtung des Wandels einer Sage bzw. eines Stoffes im Laufe der Jahrhunderte legt, sondern darein, ein Werk von den historischen Gegebenheiten seiner Zeit aus zu begreifen.

Unter diesem Aspekt beschäftigen sich gegenwärtig viele Arbeiten mit der ›Kudrun‹. Der genauen Erfassung der einzelnen Gestalten in ihrer psychologischen Zeichnung, ihrem literarischen Aussagegehalt, ihrer Funktion innerhalb der Dichtung stellen sich manche Schwierigkeiten entgegen, weil der Text so wenig die Formung zu einem dichterischen Ganzen erkennen läßt. Daher sind auch Untersuchungen über die Raum- und Zeitstruktur der ›Kudrun‹ schwer durchführbar.

Besonderes Interesse verdient der Vergleich mit dem ›Nibelungenlied‹, das der ›Kudrun‹ durch die Zugehörigkeit zur gleichen Gattung nahesteht. Das Verhältnis beider Dichtungen zueinander wird heute allgemein als antithetisch verstanden. Der Rächerin Kriemhild wurde vom Kudrundichter die Versöhnerin Kudrun gegenübergestellt. Aber diese antithetische Konstellation wird auch im Verhältnis der anderen Gestalten sichtbar und ebenso in den Vorausdeutungen, der Verwendung höfischer Elemente und christlicher Denk- und Verhaltensformen in beiden Dichtungen. Dabei sollte freilich nicht übersehen werden, daß die Antithese bereits in den beiden Sagen liegt, von denen die eine das happy end der Befreiung, die andere den Untergang im Rachevollzug schon in früheren Fassungen zeigt. Die Wahl des Stoffes ist also bereits eine Vorentscheidung des Dichters, und das weitere Ausgestalten des Versöhnungswillens in der ›Kudrun‹ wird gerade im Vergleich mit den anderen Fassungen der Sage sichtbar.

Die überaus wichtige Frage, was Heldendichtung dem Mittelalter eigentlich bedeutete, wie ihr Verhältnis zum Artusroman als dem neugeschaffenen Ausdrucksmittel höfischen Denkens zu sehen ist und welcher Intention die ›Kudrun‹ unter diesem Aspekt ihre Entstehung verdankt, wurde von W. HOFFMANN gestellt und zu beantworten gesucht. Er versteht die ›Kudrun‹ als Ideendichtung, die auch in dieser Hinsicht Antwort auf das ›Nibelungenlied‹ sein will. Während dort – und hier macht sich Hoffmann die These seines Lehrers G. WEBER zu eigen – die Vision vom unausweichlichen Untergang ritterlichen Menschentums gestaltet wurde, stellte der Kudrundichter demgegenüber die positive Wertung dieses höfischen Welt- und Menschenbildes heraus.

Die anregenden Thesen Webers und Hoffmanns werden von der Heldensagenforschung in umfassenderem Zusammenhang diskutiert werden müssen. Das geschieht augenblicklich in der Auseinandersetzung mit dem ›Nibelungenlied‹ (WEBER, NAGEL, W. SCHRÖDER, F. NEUMANN). Wurde Heldendichtung im 13. Jh. als Vorzeitdichtung verstanden? War sie im Mittelalter Träger des für den abendländischen Geist so charakteri stischen Strebens, die Dinge in ihrer Entwicklung zu begreifen, also auch die höfischen Ideale, etwa der *triuwe* und *staete*?

Schließlich sollte bei der Beschäftigung mit der ›Kudrun‹ auch nicht außer acht gelassen werden, daß sie wesentlich in einer Zeit des Umbruchs geformt wurde. Ihre literarischen „Zeitgenossen" sind nicht die höfischen Romane und das ›Nibelungenlied‹, sondern Neithart von Reuenthal und Ulrich von Lichtenstein – um nur zwei dieser verwirrenden Dichter aus der Mitte des 13. Jhs zu nennen. Ansätze zur Einordnung in die Literatur dieser Zeit wiesen H. KUHN und H. ZAHN, wobei sie vor allem von formalen Gestaltungskriterien ausgingen.

Eine soziologische, real-historische Befragung der ›Kudrun‹, die über das Aufspüren von Datierungsmerkmalen hinausginge, fehlt noch ganz.

Literatur:

Gesamtdarstellungen:

Vgl. S. VII.

J. SCHWIETERING, Die dt. Dichtung des MAs, 1932/40, [2]1957, S. 209ff. (Handbuch d. Literaturwiss.)

H. SCHNEIDER, Heldendichtung, Geistlichendichtung, Ritterdichtung. [2]1943, S. 390ff.

S. GUTENBRUNNER, Schleswig-Holsteins älteste Literatur von der Kimbernzeit bis zur Kudrundichtung. 1949.

Einzeluntersuchungen:

A. SCHÖNBACH, Das Christentum in der altdt. Heldendichtung, 1897, S. 111–208.

E. KETTNER, Der Einfluß des Nibelungenliedes auf die Gudrun, in: ZfdPh. 23 (1891), S. 145–217.

H. RAPP, Das Problem des Tragischen in der Gudrunliteratur. Diss. Köln 1928.

M. J. HARTSEN, Die Bausteine des Gudrunepos, Amsterdam 1942.

M. WEEGE, Das Kudrunepos, eine Dichtung des Hochmittelalters, 1953.

L. WOLFF, Das Kudrunlied, in: Wirk. Wort 4 (1953/54), S. 193–203, auch in: Wirk. Wort, Sammelbd 2 (1964), S. 166–176.

A. LAUBSCHER, Die Entwicklung des Frauenbildes im mittelalterlichen Heldenepos. Diss. Würzburg 1954 (Masch.).

HUGO KUHN, Kudrun, in: Münchener Universitätswoche an der Sorbonne, München 1956, S. 135–143.

A. BECK, Die Rache als Motiv und Problem in der Kudrun, in: GRM 37 (1956), S. 305–338, abgedruckt in: A. BECK, Forschung und Deutung. 1966, S. 26–68.

F. HILGERS, Die Menschendarstellung in der ›Kudrun‹. Diss., Köln 1960.
H. M. UMBREIT, Die epischen Vorausdeutungen in der Kudrun. Diss. Freiburg 1961 (Masch.).
H. B. WILLSON, Dialectic, Passio and Compassio in the Kudrun, in: MLR 58 (1963), S. 364–376.
H. ZAHN, Zur Kudrun. Epische Schichten u. literarische Stufen. (Ein Beitrag zum Form- u. Stilgesetz der Kudrun.) Diss. Freiburg 1964.
W. HOFFMANN, Kudrun. Ein Beitrag zur Deutung der nachnibelungischen Heldendichtung. 1967. (Germanist. Abhandlgen. 17.)

4. KAPITEL: DIE FORM

1. Aufbau

Von der Sagengeschichte her ergibt sich eine Zweiteilung des Epos in Hildeteil und Kudrunteil, und es ist berechtigt, diese Zweiteilung überall dort in der wissenschaftlichen Terminologie zu verwenden, wo der sagengeschichtliche Aspekt eine Rolle spielt.

Damit ist jedoch nicht gesagt, daß der Dichter selbst sein Werk nach dieser sagengeschichtlichen Gegebenheit komponierte. B. WACHINGER zeigte am ›Nibelungenlied‹, daß die jahrelangen Pausen innerhalb der Handlung als gliedernde Einschnitte zu verstehen sind (S. 83ff.). Etwas Ähnliches finden wir in der ›Kudrun‹, wo ebensolche Pausen jeweils am Ende einer Werbungsgeschichte erscheinen. In ihnen wird von dem Leben der beiden Eheleute berichtet, bis mit der Geburt des Kindes die neue Werbungsgeschichte ihren Anfang nimmt. Solche Stellen sind:

1. Str. 20–22 Sigebant und seine Frau, beider Sohn Hagen wird geboren.
2. Str. 194–197 Hagen und Hilde, beider Tochter Hilde wird geboren.
3. Str. 567–573 Hetel und Hilde, beider Kinder Ortwin und Kudrun werden geboren.

Die zeitlichen Einschnitte im Handlungsverlauf entsprechen genau dem Anfang und Ende der einzelnen Handlungsteile:

1. Sigebants Werbung um die Tochter des Königs von Norwegen (Str. 1–22)
2. Hagens Jugendabenteuer, das zur Ehe mit Hilde führt (Str. 23 bis 197)
3. Hetels Werbung um Hilde, die Tochter Hagens und Hildes (Str. 198–573)
4. Hartmuts erfolglose Werbung um Kudrun und deren Befreiung (Str. 574–1705).

Bei diesem Gliederungsprinzip ergibt es sich, daß die ›Kudrun‹ aus vier Handlungsteilen besteht, die schon ihrem Umfang nach jenes Entfaltungsprinzip verdeutlichen, das ebenso im geistigen Gehalt des Werkes zu finden ist.

Irgendwelche Verhältniszahlen, die genauere Strukturbeobachtungen ermöglichten, sind bei dem schlechten Zustand der Handschrift nicht zu erwarten. Es fällt lediglich auf, daß die ersten drei Erzählungen, die sagengeschichtlich gesehen den Hildeteil bilden, zusammen etwa ein Drittel des Gesamtwerkes ausmachen.

Keine der oben angeführten Gliederungspausen fällt mit einem Aventiureneinschnitt zusammen. Die 32 Aventiuren dienen vielmehr dazu, die einzelnen Teilhandlungen zu gliedern. Sie erscheinen oft als willkürliche Größen, so daß sie vorwiegend als Leseabschnitte zu werten sind, weniger als bewußte Gebilde einer epischen Konzeption.

Besondere Förderung hat die Erforschung der Form durch die Untersuchung H. Siefkens erfahren, der die schematischen Handlungsteile und ihre Handhabung durch den Dichter betrachtet. Die vier Teilhandlungen des Epos führen das Handlungsschema 'Brauterwerbung' in Variationen und an die Vertreter von vier Generationen geknüpft vor. Dabei wird das Gesetz des Überbietens sichtbar, also ein Ansteigen des Schwierigkeitsgrades der Werbungen. Die Handlung der ›Kudrun‹ stellt sich solcher Betrachtung als „Montage verschiedener Schematypen" dar. Doch ist mit H. Kuhn darauf zu verweisen, daß trotz allen Manierismus' (= Schematismus in Sprache und Stil) das dichterische Ergebnis überzeugend ist. Die ›Kudrun‹ enthält Szenen von bedeutender Eindringlichkeit. „Man braucht nur spätere Heldenepen wie Dietrichs Flucht oder die Rosengärten daneben zu legen, braucht überhaupt nur Szenen wie die Befreiung der Kudrun zu lesen, dann sieht man, wie lebendig doch unter allem Manierismus Situationen, Ereignisse und Charaktere hervorschauen" (H. Kuhn, Kudrun S. 137).

2. Strophenbau

Die Kudrunstrophe besteht aus vier Langzeilen, die je zwei Kurzzeilen umfassen. In den ersten beiden Langzeilen ist der Anvers vierhebig klingend, der Abvers vierhebig stumpf. Die letzten beiden Langzeilen behalten vierhebig klingende Anverse bei, während die Abverse breiter als die der ersten und zweiten Langzeile sind; denn in der dritten Langzeile erscheint der Abvers vierhebig klingend, in der vierten sogar sechshebig klingend. Schema:

Anvers	Abvers	Reim
4 hebig klingend	4 hebig stumpf	a
4 hebig klingend	4 hebig stumpf	a
4 hebig klingend	4 hebig klingend	b
4 hebig klingend	6 hebig klingend	b

Die Entstehung dieser Strophenform ist unklar. Sie gleicht in den ersten beiden Langzeilen vollständig der Nibelungenstrophe. Wurde sie aus ihr entwickelt? Die letzten beiden Langzeilen gleichen dem ersten Teil der Titurelstrophe. Ist diese aus der Kudrunstrophe hervorgegangen? Dieser an sich recht einleuchtende metrische Ansatz führt zu chronologischen Schwierigkeiten, da die ›Kudrun‹ auf 1230/40 datiert wird, Wolframs ›Titurel‹ aber um 1220. Lebte die Kudrunstrophe also vielleicht schon, bevor sie Eingang in das mhd. Epos fand?

Eine weitere Schwierigkeit der metrischen Gestalt liegt darin, daß die ›Kudrun‹ rund 100 regelrechte Nibelungenstrophen enthält. Mehr als die Hälfte davon befindet sich im ersten Viertel des Werkes. Wie ist ihr Auftreten zu erklären? Sind sie nur Fehler der ›Ambraser Handschrift‹ (HEUSLER § 782)? Kann man sie aus anfänglicher Unsicherheit des Dichters erklären, der seine Strophe aus der Nibelungenstrophe entwickelte, aber zunächst noch ungeschickt in der Handhabung, leicht in die Nibelungenstrophe zurückverfiel (F. NEUMANN)? Muß man mit EDUARD SIEVERS gerade in der gelegentlichen Einschaltung von Nibelungenstrophen ein bewußtes Kunstmittel des Epikers sehen, der die Nibelungenstrophe absichtlich immer bei einem lebendigen und charakteristischen Stimmungswechsel verwendete? Schließlich wird man auch die von der älteren Forschung bevorzugte Frage neu stellen müssen: Läßt sich die Unruhe in der metrischen Gestalt als Ergebnis mannigfaltiger Bearbeitungen bestimmen? Einen bedenkenswerten neuen Ansatz bot in jüngster Zeit S. GUTENBRUNNER, der davon ausgeht, daß der

Dichter ein Fahrender war, der kein Interesse daran hatte, daß sein Werk in vielen Abschriften verbreitet würde, sondern der im Gegenteil darauf aus war, das Monopol des alleinigen Besitzes und Vortrages zu verteidigen. Das durch den ständigen Gebrauch abgenutzte Original mußte später – vielleicht erst hundert Jahre nach dem Tod des Dichters – ergänzt werden, und das geschah in Nibelungenstrophen. Nach dieser These erscheinen also Nibelungenstrophen immer dort, wo der Text der Handschriften erfahrungsgemäß am meisten der Zerstörung ausgesetzt war, an den Seiten- und Lagenanfängen und -enden.

W. Jungandreas schloß aus dem Auftreten von zäsurreimlosen neben zäsurreimenden Strophen auf ein frühmhd. Zäsurreimepos und ein ebenfalls frühmhd. zäsurreimloses Epos als den Vorlagen des Dichters der ›Kudrun‹. Dieser Versuch ist von der Forschung allgemein abgelehnt worden. Vielleicht sollte man aber einmal erwägen, ob nicht die Unreinheit mancher Zäsurreime, auf die Jungandreas S. 59f. hinweist, so zu erklären ist, daß Verse eines frühmhd. Reimpaarepos' in die Form der Kudrunstrophe umgesetzt wurden. Dann könnten wir die Vorstufen der ›Kudrun‹ auch in formaler Hinsicht zu den frühmhd. Spielmannsepen stellen.

Nicht die zäsurreimenden Strophen sondern die Nibelungenstrophen sieht J. Carles als Reste einer Ur-Kudrun an, die er sich ganz in Nibelungenstrophen abgefaßt denkt. Seiner Meinung nach sind die Nibelungenstrophen erst in der zweiten Hälfte des 13. Jhs von einem Interpolator in ein Kudrunepos, das nur aus Kudrunstrophen bestand, eingefügt worden. Zweck der Ergänzungen soll es gewesen sein, Einzelheiten nachzutragen, die das in Kudrunstrophen abgefaßte Epos nicht besaß.

Die Anfechtbarkeit dieser These wird vor allem dort offenbar, wo eine Nibelungen- und eine Kudrunstrophe so fest verbunden sind, daß man sie nicht verschiedenen Dichtern zuweisen kann. Würde man die Nibelungenstrophe entfernen, so würde das eine empfindliche Störung des Zusammenhanges verursachen (vgl. die Kritik K. Stackmanns, Einleitung S. XLVIff.).

3. Sprache

Die ›Kudrun‹ hat einen einheitlichen Sprachstil ebensowenig erreicht wie eine klare metrische Gestalt. Die Übereinstimmungen mit dem ›Nibelungenlied‹ sind auffällig; muß daraus aber

– wie es allgemein gesagt wird – schon folgen, daß der Kudrundichter direkt von der Sprachgestaltung des ›Nibelungenliedes‹ abhängig ist? Kann nicht die oft beobachtete Formelhaftigkeit des Sprachstils der ›Kudrun‹ auch damit zu erklären sein, daß es eine gewisse Formelsprache der Heldendichtung überhaupt gab, aus der der Dichter des ›Nibelungenliedes‹ schöpfte, der sie mit großartiger Überlegenheit zu gestalten vermochte, aus der aber auch der Dichter der ›Kudrun‹ schöpfte, weniger wortkunstbegabt und ungeschickter, so daß ihr Formelcharakter deutlicher hervortrat?

F. Neumann empfindet die Sprache mit der des gesellschaftlichen Ritterromans stärker verwandt als mit der des ›Nibelungenliedes‹. Immer wieder wird auch beobachtet, daß die ›Kudrun‹ zu „unterhöfischer" Darstellungsweise abgleitet. B. Boesch (Einl. S. LVIII) sieht grelle Farben der Spielmannskunst übertüncht durch die mattere Firnis höfischer *mâze* und betont nachdrücklich die latente Dramatik des Werkes. Dies alles macht die Notwendigkeit deutlich, die ›Kudrun‹ endlich davon zu befreien, im Schatten des ›Nibelungenliedes‹ zu stehen und stets von diesem aus gewertet zu werden. Eine Untersuchung der Sprache der ›Kudrun‹ müßte nach *allen* Seiten hin Vergleiche ziehen: zu den frühmhd. Epen ebenso wie zum ›Nibelungenlied‹ und zur ›älteren Nôt‹, soweit sie uns faßbar wird, zum ›Biterolf‹, mit dessen Sprache Verwandtschaft besteht, zu den Dietrichepen und schließlich auch zum höfischen Roman.

Literatur:

B. Wachinger, Studien zum Nibelungenlied. Vorausdeutungen, Aufbau, Motivierung. 1960.

J. K. Bostock, The Structure of the ›Kudrun‹, in: MLR 53 (1958), S. 521–525.

R. Janzen, Zum Aufbau der Kudrun, in: Wirk. Wort 12 (1962), S. 257–273.

A. Heusler, Dt. Versgeschichte, Bd 2. [2]1956, § 782.

E. Sievers, Die stimmliche Gliederung des Kudruntextes, in: PBB 54 (1930), S. 418–456.

W. Jungandreas, s. S. 48. F. Neumann, s. S. VII.

Th. P. Thornton, Die Nibelungenstrophen in der Gudrun, in: Mod. Lang. Notes 67 (1952), S. 289ff.

S. Gutenbrunner, Von Hilde und Kudrun, in: ZfdPh. 81 (1962), S. 257–289.

F. W. de Wall, Studien z. Stil der Kudrun. Diss., Königsberg 1939.

s. auch J. Carles, S. 48; H. Kuhn, S. 77; W. Siefken, S. 48; H. Zahn, S. 78.

Die Frage nach dem Dichter und damit dem Raum und der Zeit der Entstehung der ›Kudrun‹ ist schwer zu beantworten, wenn man mit der Anschauung ernst macht, daß das erhaltene Werk Abschrift eines stets veränderbaren Vortragsmanuskriptes ist. Als solches kann es von einer etwa den sogenannten Spielmannsepen ähnlichen Frühform des 12. Jhs zur erhaltenen Spätfassung des beginnenden 16. Jhs drei Jahrhunderte hindurch aufgeschwellt worden sein. Immerhin weisen verschiedene Spuren auf die Jahre von 1220 bis 1250 als Zeit und Bayern als Raum des Wirkens eines Dichters, der das Werk wesentlich formte und von daher als 'der Kudrundichter' angesprochen werden darf.

Für die Bestimmung der Sprache des Originals können nur solche Formen herangezogen werden, die durch den Reim als dem Original angehörend gesichert sind. Mehrere mundartliche Eigenheiten (z.B. stets *kom, kômen,* nie *kam, kâmen*) weisen auf den bayrisch-österreichischen Donauraum als Entstehungsgebiet. Damit fügt sich die ›Kudrun‹ in die große Gruppe mhd. Heldenepen, die alle in diesen Raum gehören. Während wir aber beim ›Nibelungenlied‹ wegen Passaus Vorzugsstellung und der spürbaren Bayernfeindlichkeit des Dichters einen Österreicher als Verfasser vermuten, bietet der Schauplatz der ›Kudrun‹ einem Dichter des Donauraumes kaum Gelegenheit zu solchen lokalpatriotischen Äußerungen. H. Rosenfeld hat gezeigt, daß sich manche Wappenzeichen, Orts- und Personennamen als Anspielungen des Dichters auf seinen Lebensumkreis verstehen lassen. So enthält z.B. Ortwins Wappen wie das der Wittelsbacher rote Zickzackbalken, Seerosenblätter finden sich wie im Wappen Herwigs von Seeland auch in denen der Klöster Seeon und Tegernsee, die Ortsnamen Kalatin (= Karadine), Burg Moeren, Hegling sind im Gebiet zwischen Donau/Altmühl und Alpen zu finden. Wenn sie schon in der Quelle vorhanden waren, mag der Dichter sie umso lieber aufgenommen haben, als er Namen seiner Heimat wiederzufinden meinte, wobei er sie diesen vielleicht auch anglich. Wichtig ist vor allem auch der Hinweis auf die Gemahlin des ersten Wittelsbacher Bayernherzogs Otto, die eine Tochter des Grafen Ludwig von Looz (im Limburgischen zwischen Maastricht und Löwen) war. Sie kann sehr wohl als Vermittlerin und Anregerin gelten, durch die vorhöfische Epen von Hilde und Kudrun im Donauraum bekannt wurden.

Zur zeitlichen Einordnung dienen neben den eben erwähnten Bezügen zu bayrischen lokalen Verhältnissen um 1230 gewisse Züge der Dichtung, die sich mit allgemeineren Ereignissen und Verhältnissen jener Zeit verbinden lassen. Die Hinweise, von denen einige im folgenden aufgezählt seien, verdanken wir vor allem KARL DROEGE.

1. Um 1230 spielte Dänemark unter Waldemar II. eine hervorragende Rolle, und die Vorstellung von Hetels Reich scheint dieses dänische Großreich, das sich über Dithmarschen, Stormarn, Holstein, Nordfriesland erstreckte und auch Livland (= Niflant?) einbezog, vorauszusetzen.
2. An den Kreuzzügen von 1217 und 1227 waren besonders die Friesen beteiligt.
3. Das Herausstellen des Landesherrn in einigen Passagen der ›Kudrun‹ könnte mit der Zusicherung der Geleit-Privilegien an die Fürsten im Jahre 1232 zusammenhängen.
4. Die der *widersage* vom Kudrundichter gewidmete Aufmerksamkeit kann durch den Mainzer Landfrieden von 1235 verursacht sein.
5. Str. 5 der ›Kudrun‹ kann unter dem Eindruck der Jahre 1230/31 gedichtet sein, in denen Leopold von Österreich, Ludwig von Bayern, Ottokar I. von Böhmen starben.

Von diesen Versuchen, zeitliche Bezugspunkte des Epos zur historischen Wirklichkeit festzustellen, sind die ersten beiden der hier erwähnten Argumente auch deshalb interessant, weil sie zeigen, daß der dänisch-friesische Raum in den ersten drei Jahrzehnten des 13. Jhs verstärkt das Interesse auch der süddeutschen Bevölkerung beanspruchen konnte. Vielleicht erklärt das, weshalb eine friesisch-dänische Heldensage Gegenstand einer höfischen Dichtung werden konnte, die in Bayern entstand.

Die Ergebnisse, eine relative Chronologie durch Bezüge der ›Kudrun‹ zur mhd. Epik des 12./13. Jhs zu gewinnen, sind ähnlich unsicher wie die der absoluten. Keine der aufgewiesenen Parallelen, die vor allem KETTNER, MARTIN, PANZER, CARLES zusammentrugen, ist eindeutig als bewußte Reminiszenz des Kudrundichters nachzuweisen. So kann man mit K. STACKMANN feststellen, daß die heute zumeist vertretene Annahme, die›Kudrun‹ sei im vierten Jahrzehnt des 13. Jhs entstanden, nur die „allgemeine Resignation in der Datierungsfrage„ ausdrücke (S. X). Sie basiert wohl wesentlich auf dem Empfinden, daß die ›Kudrun‹ im Ganzen jünger erscheint als das ›Nibelungenlied‹.

F. Panzer hat die Arbeitsweise des Dichters für alle Größen und Schwächen der Dichtung verantwortlich gemacht, indem er ihm äußerste Fahrlässigkeit in der Komposition, fast pathologische Unklarheit und Verworrenheit der Motivierung, Weitschweifigkeit, logische Unachtsamkeit bei Widersprüchen ebenso bescheinigte wie bewunderungswürdige Klarheit, Sorgfalt und Konsequenz in der Charakteristik der Personen. Die schlagendste Gegenargumentation stammt von B. Symons (Einl. S. LXXXIX): „Die Charaktere und die äußere Handlung wären bei diesem Dichter unvermittelt nebeneinander hergegangen; sonst hätten die doch aus seinem künstlerischen Temperament hervorspringenden Fehler seiner Darstellung ihren Ausdruck auch in mangelhafter Charakteristik finden, oder es hätte aus den Charakteren, wenn sie wirklich folgerichtig durchgeführt wären, auch eine folgerichtige Handlung hervorwachsen müssen."

Dem Dichter der ›Kudrun‹ ist es genauso wie allen, die mehrere Quellen zu einem Heldenepos vereinigten, nicht an allen Stellen gelungen, die Elemente verschiedener Herkunft vollständig einander anzugleichen. Das zeigt sich sowohl in der Handlungsführung als auch in der Gestaltung der Charaktere.

Man wird ferner zugeben müssen, daß er in der Behandlung der Sprache weniger gewandt war als mancher andere. Vielleicht war der Dichter auch im Bau der Szenen und Einzelbilder nicht immer von höchster künstlerischer Feinfühligkeit, dagegen muß aber die gedankliche Durchdringung als sein großer Vorzug hervorgehoben werden. Die Umformung des Stoffes und die eigenartige Komposition seines Werkes lassen erkennen, daß er seine Aufgabe nicht darin sah, altbekannte Fabeln nur insofern neu zu erzählen, als er sie in ein modernes sprachliches, metrisches und kulturelles Gewand hüllte, vielmehr wollte er in seiner Dichtung die Ideen seiner Zeit gestalten, besser noch: das Heranwachsen von Idealen, die seiner Zeit wichtig wurden. Insofern verstand er Heldendichtung als Deutung menschlichen Daseins, des vergangenen und des für ihn gegenwärtigen, und machte sie uns in dieser Weise verständlich.

Diese Eigenart des Kudrundichters läßt ihn als einen gebildeten, nachdenklichen Mann erkennen, den man sich gut als Geistlichen vorstellen kann, was sich mit Gutenbrunners Beobachtung, daß der Verfasser „am Schreibtisch arbeitete" ebenso verbindet wie mit den von Rosenfeld beobachteten Verbindungen zu bayrischen Klöstern.

Die Diskrepanz zwischen dem ideellen Gehalt und der oft nicht angemessenen Form darf nicht übersehen, sondern muß gerade auch wieder von den ähnlich gearteten Spielmannsepen aus gesehen werden, als deren Verfasser ja ebenfalls häufig Geistliche angenommen werden.

Literatur:

F. Panzer, s. S. 47.
W. Hoffmann, s. S. 78

Darstellung der zeitgeschichtlichen Momente:

K. Droege, Zur Geschichte der Kudrun, in: ZfdA 54 (1913), S. 121 ff.
H. Rosenfeld, Die Kudrun: Nordseedichtung oder Donaudichtung?, in: ZfdPh. 81 (1962), S. 289–314.
R. Schützeichel, Zu Kudrun 5,3., in: PBB 82 (Tübingen) 1960, S. 116–119.
S. Gutenbrunner, Von Hilde und Kudrun, in: ZfdPh. 81 (1962), S. 257–289.

Sachregister

(einschließlich einiger fiktiver Personen)

Autorenregister